21世紀の
上越スタイル

生活文化誌2005-2025

〔21世紀の上越スタイル〕プロジェクト【編】
編集委員：石塚正英（代表）・真野俊和・高野恒男

社会評論社

■ ■ ■ ■ ■ ■

I ｜ 地域をつくり地域を生きる …013

Ⅱ　道・旅・文化交流 …069

III 地域文化の記録と記憶…115

IV 地域の景観と楽市楽座…169

表紙カバー写真：小池幹夫

本扉写真：石塚正英
（妙高と桜樹の春爛漫／高田地区）

右頁写真：直江津地区上空から高田地区を望む
（2018年、小池幹夫撮影）

発刊の辞：
〔21世紀の上越スタイル〕発刊によせて

中川幹太 NAKAGAWA Kanta

　大阪、兵庫の、いわゆるベットタウンで高校まで育った私が、東京を経てこの上越市にやってきたのは、およそ23年前になります。初めて、桑取地区という日本の「農村社会」に住み、ある団体で地域活性化に取組みました。日々、生活や文化の違いに衝撃と感動を得ています。

　特に、60代以上の方々から聞く話では、かつての生活は助け合いながら、知恵を使いながら「自給自足」で暮らしていたということです。百姓というのは、生きるための百の技術を持っている人のことだと知りました。

　もう一方で、地元の人たちは、自分たちの地域が持っている価値の高さを知らずに過ごしているということでした。例えば、雪が降ること、鮭が上がってくること、水も燃料も確保していたこと、それらは当たり前で古いものだから、価値がないものになってしまう。そしてそれらの暮らしに民俗学者の渋澤敬三氏や、写真家の濱谷浩氏が感動していたことを忘れてしまっているのです。地域の人と、よそから来た人が協力してこそ、本当の地域おこしができるのだと思います。

　私自身も、もう一度、改めて、自分たちの地域の生活や文化の豊かさを見つめなおす機会を持ちたいと思います。

令和5年2月

「上越スタイル」を考えることの意義

真野俊和 SHINNO Toshikazu

　現在の上越市が2005年に成立して20年近くが経ちました。考えてみれば、この2005年というのはまことに興味深い時期です。その年代をさかのぼる5年前に、世界は21世紀と呼ばれる時代に入っていました。もちろんこの数字そのものが何かの意味を含むわけではありません。けれども20世紀もそろそろ終わろうかというところ、つまり年号が昭和から平成に変わった頃から、上越市をとりまく社会の状況はあきらかに変わりつつありました。

　全国的な規模でいえば、大がかりな市町村合併がそろそろ蠢きはじめておりましたし、他方では地方都市の衰退が目立つようになってきてもおりました。ひところは上越市も30万都市への成長などという壮大な夢を語ることもありましたが、それがかなわぬ夢に終わるだろうという現実がうすうす見えてきてもおりました。旧上越市と周辺13町村が一つの自治体になることで、それなりに人口数は増えたものの、市全体としては過疎自治体化するという皮肉な現実も生じてしまいました。

　もっとも近代化という観点に限るならば、上信越自動車道が全線開通したとか、携帯電話やインターネット環境の充実が急速に進んだといった側面もあります。このプロジェクトが対象としている時期としてはかなり遅いほうになりますが、北陸新幹線の開通は、すくなくとも東京への往来という意味では格段の便利さをもたらしました。ただそれは遠隔地との接続にとっての便利さにすぎないのであって、近隣地への往来ではむしろ大きな問題を抱えています。東京では、若い人でも自動車を持たないという選択が増えてきているのに、上越では80歳を過ぎても自動車が手放せない、という現状におかれています。

　つまり上越市の現状を一言でまとめるならば、さまざまな側面での矛盾の広がりと常態化にほかならないのです。今回のプロジェクトのタイトルである「上越スタイル」を考えようとするならば、この事実を出発点としなければならないでしょう。

　さて、タイトルに含まれる「スタイル」とは、いったい何をさす言葉なのでしょうか。極めて日常的に使われる言葉なので、改めてこのように問われてしまうと、

かえって答に窮するかもしれません。ごく大ざっぱに理解するならば、人の姿・格好とか、デザイン、行動や思考の型・様式をさす言葉と言えばよいでしょう。ここで分かりにくいのは、「スタイル」の持ち主は個人であってもよいし人の集合体であってもよいこと、またそれは具体的に目に見える場合もあれば抽象的にしか把握できないこともある、というなんとも幅の広い概念だというところにあります。ただ頭に「上越」がつきますから、話の重心は当然、集団とか社会にとってのスタイルということになるでしょう。とはいえスタイルを「スタイル」として意識するのは究極には個人ですから、個人にとってのスタイル（行動とか思考とかの）を無視するわけにはもちろんいきません。

　そういうわけで、「上越スタイル」というテーマをどんな側面から捉えるか、「スタイル」とはどんな環境で作られるか、その変化の要因としてどんなことが考えられるか、といったことについて、考えてみることが大事になります。このプロジェクトに参加しようという方がたにとっては、おそらく一番考えにくい課題になるにちがいありません。

　この問いに対しては、もちろん唯一無二の正しい答があるわけではありません。しかたないので、呼びかけ人の一人である私（＝真野俊和）の考えを少しばかり述べてみることにします。

　「スタイル」は誰にとってのスタイルなのかということが、考察の出発点になりそうです。まずは個人のほうからみていきましょう。するとその人自身の自由意志にしたがう生活のスタイルというものがさまざまにあります。着るものの好み、髪の毛の長さや髪型、食べ物の好み、いろいろな所有物の部屋の中での配置、寝起きの時間サイクル、仕事以外の時間の過ごし方、友人の選び方、などなどと。

　しかしこの話は決して個人レベルでとどまってしまうはずがありません。一方で観点を個人の外側に置いてみるならば、この町の設備としてどのようなものがあるか？　地理的な配置とか外観はどのようであるか？　人口構成は？　年齢分布は？　職業構成は？　進学先は？　文化や娯楽の受け皿は？　そういったことのすべてが私たち一人ひとりの生活スタイルの実現にかかわってきます。

　社会という構造体は様々な単位の複雑な組み合わせによって作られるものですから、個人のもっとも身近にある家族や友人、ご近所などなどの社会には相応の行動スタイルがあります。さらにそれよりも広く、自治体だとかさらに大きな国家に担われる政治活動にもスタイルがあります。企業にだってそれぞれのスタイルというものがあります。政治の領域だったら「政治姿勢」と呼ばれ

ることになるだろうし、経済の世界では「ビジネス・モデル」とか「社風」などと呼ばれることになるのでしょうね。

　そのように重層する社会単位が作り出しているそれぞれの行動スタイルは、大きな存在のスタイルが最も小さな存在である個人の行動スタイルを一方的に強制しているわけでないのは、今まで説明したとおりです。たとえば現代社会にとって大きな問題となっている正規職員と非正規職員に分かれる雇用スタイルは、雇用者側が被雇用者側に一方的に押しつけて形成されたとはいいきれません。労働者の側に、生活上の望ましいニーズとか生涯プランなどというものがあるから、正規・非正規と二様の雇用スタイルの併存をなかなか一本化できない事態が生まれることになるのです。二つの雇用スタイルの併存は、それが有利に働く人もいれば、反対にきわめて不利に働いてしまう人もいるという、とてつもなく解決の難しい社会的ディレンマの要因になってしまいます。

　つまり文化や社会におけるスタイルとは、個人の好みとか欲求の単純な積み重ねの姿というのではなく、反対に環境が人の生き方を決めてしまうというわけでもなく、両側からの相互交渉の結果にほかならないのです。

　さてどんな生活スタイルが自分にふさわしく、幸せをもたらしてくれるかは、個人にとってはもっとも大きな問題のはずでしょう。「最大多数の最大幸福を」などと政治家はしばしば大層な面持ちで口にしますが、そのような言い回しは、「最大多数」に含まれないと考える人びとにとって絶望的な無責任にしか聞こえてこないはずです。呼びかけ人たちが提起した「21世紀の上越スタイル」というプロジェクトとは、自分たちは今どんなところにやって来たのかということだけでなく、この先どんな道を求めたいのかを考える時がいよいよやってきたということへの、切実な問題提起なのだと受け止めてもらいたいのです。

　ここで簡単ですが、とても大事なことを書き加えておきます。このプロジェクトはどのような方がたによって担われるのがよいのか、という実務的な課題です。「上越スタイル」なるものを追い求めていく行為は、文化財や歴史の調査ではないのですから、参加メンバーは学識経験者とかなんらかの分野の専門研究者である必要などありません。誰もが「スタイル」なる価値観の担い手にほかならないのですから。ただ、いま目の前にある上越の生活や、教育、社会、経済、政治など文化のあれこれを、ただそこにある事実とか事態として通り過ぎてしまわず、私たちによって積極的に選び取られた、文化「スタイル」にほかならないという捉え方のできる方である、ということが最低限かつ必須の条件になるということだけです。

日々を生活している人びとが、身の回りの何かを「スタイル」として捉えることは、ファッションだとか体型だとか特定の場面での身のこなしだとか、外見に現れる姿でもないかぎり、特に意識の表面に浮かびあがってくることはないでしょう。多くのことは身体や思考、精神作用の中に埋め込まれており、ほぼ無意識に外に現れてくるものです。熱々のご飯の上に生卵をわって醤油をかけ、かき混ぜて口にほおばりこむのは得も言われずおいしい食事レシピですが、一歩海外にでればとんでもない食事スタイルと見なされるなどとは、ふつうの日本人にとって想像の外にあるでしょう。その違いにはいろいろな事情があってのことなのですが、そこに深入りはしません。あるいは電車に乗ると、ほとんどの人が一心不乱にスマートフォンとにらめっこをしている——何を見ているのかさっぱり見当がつかないのですが——光景などは、まさしく21世紀に入ってからの産物です。外で人に会おうとするとき、万一すれ違ったらどのように連絡をとったらよいのか、などという問題への対処法は、もうほとんどの人が忘れてしまっていることでしょう。

　本書の最初におかれた私の文章では、NPO（特定非営利活動法人）と分類される団体の活動について簡単にふれています。NPOは説明しやすい一例にすぎず、NPOを名乗ることがないようなグループでもいっこうにさしつかえありません。もちろん個人であっても、上にあげた条件にかなうならばいっこうにさしつかえありません。ただここではNPOとして話を進めます。

　NPOとは、ある文化スタイルを模索し、確立させようとする運動体です。具体的にその目標は、上にあげたさまざまな領域に広がっているでしょう。それが何であれ、それらの志にしたがって具体的な目標をめざしている集団にほかなりません。目標、つまりスタイルの模索や確立が自覚化されているからこそ、一定の運動体になりうるのです。昔どおりのやり方に漫然と従っていればよいのだったら、決して運動にはならないでしょう。これまでのスタイルを別の姿に変化させなければならない、と考えるならば、「昔どおり」に何らかの問題を見出した結果でしょう。もちろん反対に「昔どおり」を目標にするということもあり得ます。その場合にはその「昔どおり」が変わろうとしているほうに見逃せない問題を見ていることになります。

　ともあれ、21世紀に入って何が変わらなければならないか、あるいは変わってはいけないか、という価値観をNPOのメンバーは共有しているはずなのです。そのための運動がどこまで実現したか、そしてこの先どのようにその道を歩んでいった

らよいのか、NPO の思考の中心には常にそのことへの評価がなければなりません。

　スタイルを模索する団体や組織として、ここでは NPO を例にあげてみましたが、それはまさしくほんの一例にすぎません。それよりもはるかに規模の大きい、かつ強い影響力と強制力をもった担い手があります。そう、政治組織がそれです。議会も行政も、それは単にさまざまな意見のぶつかり合いを調整し、集団の意志を決定し、実行に移したりして個人々々の生活スタイルを押しつけたりしているわけではありません。反対にどのような政治組織の運営のあり方もまた、私たちがもっている文化の反映にほかならないのです。一言ここで断っておきますが、だから私たちはもっと政治に関心をもとうと呼びかけているわけではありません。政治もまた、ファッションとか食べ物の好みなどと同じく、あるいは友達づきあいとかご近所づきあいとか、趣味の仲間の作り方とおなじレベルで、私たちにとってのスタイル選択にほかならないということなのです。政治を例にあげてしまうと、ともすれば私たちは構えてしまいかねないのですが、じつは「スタイル」とは私たちにとって、生き方の選択そのものにほかならないのです。ただそこに「上越」という地域的要素をつけ加えたら、私たちそれぞれにとって、いまここにある生活スタイルがどのように見えてくるだろうか、ということを再考してもらいたいというのが私にとっての関心でした。私がこのプロジェクトに「上越スタイル」という言葉を提案したのはそんな問題意識からだということをご理解いただければ幸いです。

　最後にもう一つ、私が個人的にもっている目論見をつけ加えておきます。スタイルの見直しをしてみようというだけだったら、たとえばシンポジウムのような形で、皆の思いのたけを語ってもらうというだけですむことかもしれません。ただそれを文章として、しかもそれを紙媒体に記述するところまでいかなければ、見直しのための思考はあまり深まることはないでしょう。おそらくその場かぎりの、きれぎれの発言で終わってしまうだろうことは、容易に想像がつきます。いっぽう書物として世に広げることによって、上越市民の意識と行動の現在を、上越という地域の制約をこえた人びとに知ってもらうことも可能になるでしょう。今回のプロジェクトは、つまり私たちが今それぞれに試みている、長い々々「過去」の再認識、私たちが今まさに生きている「現在」性の構築、単なる夢物語ではない「未来」への見通し、などなどを見せてくれるでしょう。けれども、ほかにどのようなアイデアや方向性があるか、という点に関する、思いもかけない反応が返ってくるかもしれません。その点についても大いに期待できればと考えている次第です。

I

地域をつくり
地域を生きる

合併後上越市と地域NPO活動

真野俊和 SHINNO Toshikazu

はじめに

　20世紀から21世紀に移るころ、上越市において地域社会のあり方は大きく変わってきました。その背景は多岐にわたりすぎているので、簡単にはまとめきれません。

　一つの大きな側面は上越市固有のものと言いきれない、むしろ日本という国を広く覆い尽くしている傾向です。つまり地方から大都市への人口移動と、高齢化です。いっときは30万人都市などと壮大な構想を語ったこともありましたが、はかなくも夢と終わりました。2020年前には市民人口20万人を割り込み、やがては15万人の時代が来るかもしれないなどと、寂しい声さえ聞こえてきます。これは上越市自身の内側にある側面と言えましょう。

　そして二つ目としてあげなければならないきっかけは、もっと公的・制度的なものです。市民による活動団体の存在を法律面から位置づける「特定非営利活動法人」いわゆるNPO法人法の制定（1998年）です。この法律の目的は「特定非営利活動を行う団体に法人格を付与すること等により、ボランティア活動をはじめとする市民の自由な社会貢献活動としての特定非営利活動の健全な発展を促進することを目的」として設けられました。

　三つ目のきっかけはいわゆる平成の大合併による、新上越市の誕生です。新上越市は周辺の13町村を編入合併する形で2005年に出発しました。全国でも最大規模の合併だったといってよいでしょう。しかもそれは単なる合併ではなく、従来の13町村のそれぞれを「地域自治区」として機能させようとする、独特の内容をもったものでした。当初、上越市の地域自治区は旧13町村だけに設けられましたが、後に合併前上越市にも設置され、現在では全体で28の地域自治区があります。

　以上の三つにあえて四つ目を加えるならば、認可地縁団体の発足があります。これはいわゆる町内会という近隣地縁組織にも法人格を与えようというもので、

1991年の地方自治法改正によって実現しました。現在の上越市内にある町内会のほとんどは、この制度によって法人格をもっているとみられます。

　本稿は以上にあげた諸傾向をもとにして、上越市の地域活動がどのようなスタイルを築き上げつつあるかをみようとするものです。ただ上越市全体がどうであるかを一気に考えることもできないので、上越市の東西中山間地にある二つの地域をとりあげることにしました。一つは西部山間地の桑取川に沿って延びる、いわゆる桑取谷地域、もう一箇所は東部山間地にある安塚地域です。前者は上にあげた地域自治区そのままではありません。後者は旧安塚町とかさなる安塚区を基盤とする地域活動の例です。

　なお今回の報告のもとになるデータは少々古く、2000年をはさむ10年ほどの間に得られたものです。その時点から10年以上を経過した現在、実情がどう変化したかは、もう少しデータ収集を積み上げなければなりません。

1．上越市桑取谷での試み

　桑取谷とは、主流の桑取川はじめ中ノ俣川や綱子川などの支流によって形成された、中山間地域の総称です。小さな谷で、一番長い水系を遡ってもせいぜい10キロメーターほどにしかなりません。ただ歴史をたどってみると、起源は伝説の中に消えてしまいますが、室町時代の初め頃までたどり着けるようです。しかしこの山間地は戦国期の上杉時代にはなかなか重要で、西日本に対する防衛網として城砦がいくつも築かれ、いくつもの村があり、兵士たちも配置されていたでしょう。江戸時代には軍事的意味こそなくなりましたが、それなりに繁栄はしていたと考えられます。

　けれども明治時代になると経済と社会の中心はすっかり里におりてきて、徐々に勢いを失ってきます。2008年現在の人口を表1にまとめておきましょう。この減少に伴って、高齢化も進んできました。

　行政もこの状況に手をこまねいているわけにはいかず、1989年にはこの谷にゴルフ場の設置が計画されました。しかしこの構想は直ちに上越市全域や桑取谷の強い反対にさらされ、ほどなく潰えることになったのです。反対の理由は上越市の上水道の半分以上をまかなうこの谷の水源保護でした。

　そこで改めて行政が目を向けたのは、中山間地というこの地域の特質でした。特質とは、ここには豊かな自然があって、かつて少なからぬ人びとが暮らしていて、長い時間をかけて作られてきた文化があって、今でも人びとは暮らし続

表1　対象地域人口表（2008 年度末現在：人）

地区	町内会	人口	人口（男）	人口（女）	世帯数
桑取地区		367	183	184	131
谷浜地区		1634	791	843	506
金谷地区	中ノ俣	93	45	48	50
	上正善寺	140	68	72	44
	中正善寺	52	27	25	14
	下正善寺	130	64	66	39

出所：上越市ホームページ（当時）

けている……といったようなあれこれです。これらの特質を中核において、今日につながるさまざまな試みが動き始めました。行政の側からは「上越市水道水源保護条例」「市民の森条例」など、森林の保護と活用を目的とする条例が制定され、また副市長の一人には包括的なリフレッシュビレッジ事業を担当させるなど積極的な姿勢が際立つようになりました。

　そうしたなかでも重要なできごととして NPO の活動を挙げないわけにはいけません。今回の私の報告の中心になるのは「かみえちご山里ファン倶楽部」というのですが、その前段には新潟県でNPO法人の第1号となる「木と遊ぶ研究所」があり、その前身になったのは上越市の建具業者の組合「ウッドワーク」でした。話がようやく「かみえちご」にたどりついたところで、この NPO についてもう少し詳しく紹介しましょう。

●かみえちご山里ファン倶楽部（現在の Website URL は https://kamiechigo.jp/）

　これらの一覧について、何点か補足しておきます。
① 前身にあたる「木と遊ぶ研究所」は上記2の活動のいくつかを既に開始しており、「かみえちご」が法人格を取得すると同時に「かみえちご」にひきつがれました。したがって「かみえちご」の活動予算の相当部分を占める上越市からの受託事業は「木と遊ぶ研究所」以来のものです。
② 「木と遊ぶ研究所」はもともと森林資源の活用を目指すところから出発しました。最初に目を付けたのは森林間伐材の利用でした。そこからさらに視野が広がり、同NPOの活動は森林保全一般に広がって行きました。
③ このころから同NPOには県外からの若者が加わるようになりました。もちろん参加者はNPOの会員としてではなく、あくまでスタッフとしてのものです。2006年時点でその数は8名。一人を除いて出身学歴は理工系もしくは

表2　概要（当時の Web site ほかによる）

設立	平成 13（2001）年 9 月（平成 14 年 2 月：ＮＰＯ法人取得）
活動地域	上越市西部中山間地域（桑取地区、谷浜地区、中ノ俣地区、正善寺地区など）
目的	里山・里海の地域振興（まちづくり）、環境保全、文化や芸能の継承・育成など
理事・スタッフ	理事 14 名、スタッフ 8 名（H 20 年 5 月現在）
会員数	個人会員：306 名、企業団体会員：15 団体（H 20 年 5 月現在）
収入規模	約 4,630 万円（2006 年度）内訳：受託 64%、自主事業 26%、助成金 7%、寄附金・会費 3%

出所：かみえちご山里ファン倶楽部 Website（当時）

表3　活動内容（現在の Web site も参照されたい）

①地域活動の支援	地域住民が中心となって行う民俗行事・伝統行事などの地域活動の活性化を目指して、その記録・保存などを支援しています。（原文のまま。以下同様）	小正月行事、虫追い川舟、田の代掻き　ほか
②受託事業	上越市西部中山間地域を中心とした、環境、地域産業などに関する活性化事業、ならびに教育的事業を受託し、実践しています。	上越市地球環境学校、上越市くわどり市民の森　ほか
③地域資源事業	地域の伝統文化、自然、生活技術などを調査・記録し、産業化・活性化へのきっかけ作りとしてさまざまな体験事業や販売などの事業を行っています。	古民家改修、棚田での米作り、山漁村体験、菜園教室　ほか
④地域教育事業	地域の一員として、地域の子どもを育む活動を実施しています。平成 17 年度より、地元小学校との連携で月 3 回程度の放課後活動（あそびの達人）を実施しました。平成 19 年度からは、JT より助成金を受け、「水と桑取谷の達人教室」として継続しています。	
⑤インターン制度	平成 16 年度より、インターン生の受入れを行っています。年々希望者が増加し、現在では全国各地の大学、専門学校などから学生が集っています。これまでに、約 50 名の学生がこの地で学びました。	ものつくり大学（埼玉県）、立命館アジア太平洋大学（大分県）、国際アウトドア専門学校（新潟県）ほか

出所：かみえちご山里ファン倶楽部 Website（当時）

表4　スタッフ年齢・出身等（2006 年現在）

	性別	生年	出身地	出身学部
A	男	1975	兵庫県	広島大学工学部建築学科
B	男	1976	北海道	日本大学農獣医学部
C	男	1977	長崎県	武蔵大学人文学部日本文化学科（民俗学専攻）
D	女	1972	新潟県（桑取谷）	お茶の水女子大学理学部生物学科　横浜国立大学工学研究科博士課程前期
E	女	1978	広島県	東京農工大学・東京農工大学大学院
F	女	1975	山形県	新潟大学理学部、Warren Willson 大学
G	男	1976	茨城県	日本大学農獣医学部農業工学科
H	女	1980	東京都	東京環境専門学校
I	女	1976	埼玉県	酪農学園大学酪農学部

出所：かみえちご山里ファン倶楽部 Website（当時）

農学系といえます。つまり初期の参加スタッフは森林環境活動を目指していたと考えられます。ちなみに彼らに支払われる給与は、率直にみてかなり低廉でした。現在の募集では月 16 万円となっています。この学歴のみならず大学卒という学歴だったとしても相当に低いと言わざるをえません。その事がスタッフの新陳代謝をかなり激しいものにしていることは容易に察せられましょう。

④ 森林環境を主要な活動領域としてスタートした同 NPO の守備範囲はやがて文化的な方面にまで広がっていきました。上表の①④にあげたものがおおむねそれにあたるとみてよいでしょう。つまり森林環境を守るには森林そのものにとどまらず、その環境に生きる住民の生活にまで視野を広げなければならないとの考えに達したからなのだろうと推測しています。

⑤ 「かみえちご」はあくまで地域に軸足をおいた NPO 団体です。ですからあらゆる意志決定や実行は、原則、すべて会員自身によって担われなければなりません。ところが「かみえちご」にあってはその原則において少しばかり様相が異なります。上の表のように、「かみえちご」には 9 名にものぼる事務局スタッフがおりました。この人たちは単なる事務局ではなく、また単なる実働部隊でもありません。活動内容に関して、みずからさまざまなアイデアを生み出し、実現する主体でもあるのです。つまり理事会とスタッフとが同等の立場で重なり合い、活動を生みだしてくという二重の構造をもっているのです。

2．上越市安塚区での試み

●新上越市に設置された住民組織

さて 2001 年の新上越市への合併後、それまでの町村は「地域自治区」と呼ばれるようになりました。その時、各自治区には行政側から働きかけるかたちで、住民独自の組織が立ち上げられました。上越市では一般にこれを「住民組織」と総称しています。

これはあくまで民間の団体であり、行政とは直接の関係を持ちません。しかし実際には設立時に旧町村から多額の助成金が支給されたのです（非支給の町村もありましたが）。

ほとんどの住民組織は行政から事業の一部を委託されており、これが重要な財源となっています。そのほか自主事業を実施しているのですが、その内容は

表5　上越市地域自治区における住民組織

旧町村名	人口	組織の名称	設立時の行政支援	主な受託事業
安塚町	3,340	NPO 雪のふるさと安塚	8,000	区総合事務所当直、コミュニティプラザ指定管理
浦川原村	4,032	NPO 夢あふれるまち浦川原	2,000	敬老会
大島村	2,249	大島まちづくり振興会	1,000	区バス運行、園外保育等車両運行
牧村	2,641	牧振興会	2,000	区総合事務所当直、公民館管理
柿崎町	11,484	柿崎まちづくり振興会	1,500	総合体育館指定管理、通園バス運行
大潟町	10,401	まちづくり大潟	7,000	保育園通園バス運行、敬老会
頸城村	9,746	くびき振興会	1,500	保育園通園バス運行、敬老会
吉川町	5,142	まちづくり吉川	1,000	なし
中郷村	4,733	中郷区まちづくり振興会	0	保育園通園バス運行、敬老会
板倉町	7,517	板倉まちづくり振興会	2,000	保育園通園バス運行、敬老会
清里村	3,152	清里まちづくり振興会	2,000	区総合事務所当直・清掃
三和村	6,190	三和区振興会	3,000	区総合事務所当直、保育園通園バス運行
名立町	3,169	名立まちづくり協議会	0	保育園通園バス運行、敬老会

出所：上越市ホームページ（当時）

さまざまです。

(1) 安塚区の住民組織「雪のふるさと安塚」の設立経緯と活動

　これら住民組織をどのように構成し、どのような活動をメインにするか、各自治区はさまざまに考えたことでしょう。そのうち安塚区はおそらく他の自治区とはいささか異なった路線を目指しました。公に認知された法人とすること、そして通常の NPO のような有志型、ボランティア型でなく、全住民参加型の組織とすることでした。つまり任意団体でなく、むしろ法的に公認された責任ある住民組織であることを選んだわけです。安塚区が目指した住民組織のあり方には先例がありました。岐阜県旧山岡町の全世帯加入 NPO 法人（姉妹町。2003年登記）がそれにあたるそうです。

　この計画は安塚区単独によるものでなく、上越市からの協力もありました。2004年、行政より法人設立発起人を指名し、呼びかけ案内をしました。

　発起人（全13名）の内訳は、集落嘱託員4名、議員2名、商工会、文化協会、体育協会、青少年育成会議、女性百人委員会、雪のまちいきいき女性ネットワーク、NPO 法人「雪の里山創造ネットワーク」より各1名です。

まず発起人会において、行政からはこの路線に関する趣旨説明がなされました。旧安塚町独自の町造りは上越地方でも先進的なものがありました。ただ旧安塚区のそれが行政主導の傾向があったのに対し、「住民主体の地域づくり」を目指してほしい旨が強調されたそうです。

・会員の募集
　　① 集落嘱託員に募集を依頼：集落嘱託員会議等において入会募集の要請と依頼。
　　② 入会：1世帯1名以上の正会員加入を呼びかけ。
　　③ 集落説明会：各集落へ運営委員、行政担当者が出向いて説明を行なう。
・設立総会：2004年8月29日。会員数996名
・設立登記：2004年12月1日
・会員数（表6）
・活動内容（表7）

表6　会員数

	正会員	賛助会員	企業会員
2004 年度	1,024 人	166 人	26 社
2005 年度	1,041	169	33
2006 年度	989	163	25
2007 年度	957	207	24
2008 年度	923	197	33
2009 年度	899	175	32

出所：NPO 雪のふるさと安塚 Website（当時）

（2）安塚区住民組織の特徴

　合併特例法や地方自治法における地域自治区に寄せられる関心は、行政からも学界（地方自治論、行政学等）からも、もっぱら地域の意志を決定し、首長に対して意見を述べることを旨とする地域協議会に向けられました。つまり地域自治区は、自分たちでものごとを決め自分たちで実行することを本旨とする地域コミュニティ、たとえば町内会などとは異質のものとしてとらえられています。

　上越市における住民自治組織もまた、制度上は行政から独立しているとはいうものの、自治体の枠組の内部にあることから、その業務内様は町内会とは異質のところに向かっていきました。つまり住民組織の業務には行政の肩代わり

表7 活動内容「平成20年度『NPO雪のふるさと安塚』事業計画」

事業部門	日常生活の支援	生活環境の維持	イベント・講演・教室等	公的施設の管理	NPOの維持	自主事業	受託事業	計
支えあい、安心して暮らせる環境づくり事業	有償ボランティア事業					4,040		
	高齢者支援ネットワークシステム						2,716	
			安塚区敬老会実施業務				1,248	11,702
	安塚放課後児童クラブ管理運営						3,698	
自然と食を活かした産業を育てる事業				安塚区総合事務所庁舎当直			8,566	
				安塚区総合事務所環境整備			176	
				雪のまちみらい館清掃			964	14,395
				安塚区総合事務所庁舎清掃			1,883	
	安塚小・安塚中スクールバス運転						2,806	
豊かな心を育む事業				高田図書館安塚分室図書室管理			753	
		街路樹等管理					1,413	
				安塚コミュニティプラザ管理委託			6,794	
				雪だるま高原フラワーパーク管理			476	
		上越市安塚区公共花壇等管理					2,850	16,013
		農免農道等維持管理					806	
		市道草刈等					1,750	
		林道除草等					834	
		普通財産周辺草刈り・環境保全					24	
				収蔵美術館絵画展示			313	
観光交流事業			安塚スノーフェスティバル				336	336
情報発信事業					やすづかCATV番組取材・編集業務		1,897	1,897
自主活動事業			救急救助法講習会			10		
					有償ボランティア提供会員の組織作り	300		
			親子クリスマスお楽しみ会			100		
			親子交流会			50		
			講演会の開催			60		
			NPO杯スポレク大会の助成			100		
			郷土料理教室の開催（4回）			100		
			新商品開発			500		
			ふれあいコンサート開催			500		
			文化講演会開催			250		3,360
			交流イベントカレンダーの作成配布			150		
			ヤナギバヒマワリのPR事業			100		
			スノーフェスティバル事業			500		
			信越トレイル事業			100		
			国際交流事業			50		
					NPO雪のふるさと安塚ホームページの充実	150		
					CATVの内容検討、取材協力	30		
					NPOパンフレット製作	50		
					NPOだよりの発行	190		
					NPOアピール事業	70		
活動支援事業			地区内自主事業					
			新年の集い、風の集い、成人式、盆踊り大会等			1,000		1,000
	¥13,260	¥7,677	¥5,502	¥19,612	¥2,687	¥8,400	¥40,303	¥48,703
	27.2%	15.8%	11.3%	40.3%	5.5%			

(1) 受託事業収入等	¥43,021
(2) 会費収入＋雑収入	¥3,320
(3) 事業費支出合計	¥48,703
(1) ＋ (2) － (3)	¥-2,362

出所：NPO雪のふるさと安塚 Website（当時）

と見なされやすい公的設備の管理か、公民館活動につながるイベント、講演会、講習・教室などを中心とするものとなっています。

　しかし例外的に安塚のそれは、日常生活の支援という領域に向かっていく特徴があります。それはつぎのような二つないしは三つのレベルでとらえられます。

　　① 自治区行政にかかわるもの：有償ボランティア（運送）、スクールバス
　　② 家族の機能にかかわるもの：高齢者支援、上記以外の有償ボランティア（除雪、家事、草刈り、草取り）
　　③ 草刈りや花壇整備など生活環境維持のための活動支援

　最後の③についていえば、その対象は市の設備に限られており、町内会の領分にあたるものについては対象とされません。なぜなら合併にもかかわらず、町内会は依然として健在であり、その性格に大きな変化はなかったからです。

むすび

　私たちの生活を取り囲む「社会」には、身近なところからみていけば何重かの層があります。家族、ご近所、部落・町内会、行政（市町村〜都道府県）、国家……といった具合です。時代を下ってくるにしたがって、あとにあげたような制度上の「社会」のほうがシステム化され、力をもってくるようになってきました。とくに都会で生活する上では初めのほうにあげたレベルの「社会」はほとんど無用であるように見えてきます。極端には、行政サービスと日常の売買をひきうける経済サービスさえあれば、ほとんど支障はないかのようにさえ思えてくるほどです。

　しかしとくに地方都市においては、人口減少とか経済活力の低下などにともなって、それ以外の「社会」のあり方も不可欠になってきました。法人格をもったNPOはその一つの構想といえるでしょう。個人と制度（＝行政）の間を埋めるように、これまでの社会とは別種のしくみを安定的に創出する試みとして、NPOが急速に発達・普及してきています。ただNPOは20世紀の末になってようやく社会的に認知されはじめたばかりですので、まだまだ試行錯誤のまっただ中にあります。この動向は、経験を積み重ねれば一定の型におさまっていくというよりは、むしろその時その地域の事情をくみ上げて、現在よりもはるかに多様な姿をとるようになるのではないでしょうか。

　この報告では上越市にうまれた、対照的な形をとる二つのNPOをとりあげてみました。この二つは現在の上越市においてさえわずかな試行例にすぎません

から、これを完成された「21世紀の上越スタイル」と呼ぶにはほど遠い段階にあります。上越市に今後どのような試みが生まれてくるか想像もつきませんが、今この町に暮らす私たちが、とびきり面白い現場を目の当たりにしていることだけは間違いありません。

粟飴翁飴本舗／
高田地区
（藤野正二撮影）

右：賑わう雁木通り／高田地区
左：佇む雁木通り
（石塚正英撮影）

上越市の合併の変遷を総括する

今井　孝 IMAI Takashi

はじめに ──上越市とは何なのか

　私は 2009（平成 21）年の夏、上越市に移り住みました。ほどなく高田と直江津では気質が違うとか、最近上越市となった「13 区」と称される地域があることを知りました。そして、その幾度となく繰り返された市町村合併によりこの地域の人々が「自分たちは何者なのか」というアイデンティティを見失ってしまっていることもすぐに理解できました。

　夏祭りを例にしましょう。行政は「上越まつり」と称して観光政策を行っていますが、そこに含まれるのは直江津、高田といった「合併前上越市」（この言い方もやめたほうがよい）のみです。後から合併した 13 町村の夏祭りは従来どおりそれぞれで行っており、行政は合併による上越市全体としての一体感の醸成と各地域の自治や伝統の維持というジレンマに苦慮しているように見えます。

　この問題を考える際に、その土地がどういう経緯を辿って現在の姿になったのかを考えることは有用です。今回は上越市の市町村合併の変遷を総括しその本質を考察することで、上越市とは何かを考え、また失いつつあるものを見直すきっかけになればと考えています。

1. 上越市の市町村合併を概観する ──三和区を例に

　人はひとりで生きることができないため共同体をつくります。それが農村部では村、都市部では町となり、それらがより大きくまとまっていく過程が市町村合併といえるでしょう。

　別表では明治期から平成までの市町村合併の変遷を現在の上越市三和区を例にまとめています。近世以前の集落が近代の自治制度に組み込まれてきた流れが把握できるでしょう。

　市町村合併は明治期以降大規模なものが 3 回あり、便宜上「明治の大合併」「昭和の大合併」「平成の大合併」と呼ばれます。どの時代の合併も共同体をいかに

表　上越市三和区にみる市町村の変遷

年代	法制度の変遷	市町村数の推移	上越市三和区の場合
明治4年 (1871)	廃藩置県 大区小区制		十大区小七区 十大区小八区
明治11年 (1878)	郡区町村編制法制定	明治の大合併の直前 明治21(1888)年 **71314** 町村	すべて新潟県中頚城郡 鴨井村/水科村/窪村/中野村/川浦村/野村/稲原村/下中村/田村/法花寺村/水吉村/横山新田/宮崎新田　錦村/柳林村/岡木村/米子村/広井村/上広田村/下広田村/沖柳村/本郷村/越柳村/神田村/塔ノ輪村/山腰新田/末野村/猿俣新田　今保村/大村/所山田村/岡田村/桑曽根村/山高津村/払沢村/北代村/下新保村/下田島村/三村新田/井ノ口村/浮島村/島倉村
明治21年 (1888)4月	市制町村制制定	明治の大合併後 **15859** 39市 15820町村	里五十公野村　美守村　上杉村　明治の大合併 明治22(1889)年4月1日施行のため全国で一気に合併した
昭和22年 (1947)5月	地方自治法制定	昭和22(1947)年8月 **10505** 210市 1784町 8511村	
昭和28年 (1953)10月	町村合併促進法施行	昭和28年10月 **9868** 286市 1966町 7616村	昭和30(1955)年10月1日 三和村　昭和の大合併
昭和31年 (1956)4月	市町村建設促進法施行	昭和31(1956)年4月 **4668** 495市 1870町 2303村	
平成11年 (1999)4月	地方分権の推進を図るための関係法律の一部を改正する法律施行	平成11(1999)年3月31日 **3232** 670市 1994町 568村	平成17(2005)年1月1日 上越市　平成の大合併
現在		令和4年(2022)6月1日 **1718** 792市 743町 183村	

出所：『市町村名変遷辞典』総務省ホームページより筆者作成

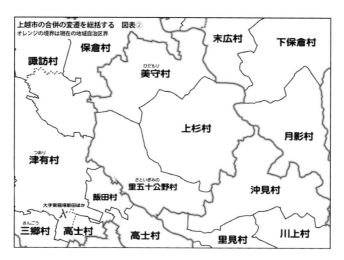

図　『上越市　市町村合併変遷書き込み地図　第1版』部分（筆者作成）

合理的かつ効率的に管理運営するかに重点が置かれています。

2．明治の大合併 ——中央集権と近代化

　明治新政府が発足、制定後ほどなく廃止された大区小区制を経て、1878（明治11）年の郡区町村編制法で江戸期以来の町村が改めて自治の単位として再定義されました。このときの町村の多くは現在の「大字」として残っています。そして1888（明治21）年の市制町村制により新たに市が誕生し、一方で町村の数は大幅に減ることになりました。

　明治の大合併の目的は教育や徴税、戸籍などの事務処理の全国的な平準化にあります。標準規模は当初は約300〜500戸、のちに150戸程度でも合併可能とされました。市町村の名称は合併する中に大きな町村があればその名前を採用し、判断できない場合は旧名称を折衷して決めることとされました。

　現在の三和区にあたる地域では、いずれも中頸城郡の15前後の村が合併し3つの村が誕生しました。名称は従来のその地域の呼称を採用したり、中世の上杉氏に由来を求めたりしています。合併後の名称と役場の位置については、昭和平成の大合併に至るまで常に議論、争いの種になっていきます。

　明治の大合併の本質は「中央集権と近代化」といえます。明治新政府は近代化させるための要素として、教育や徴税、インフラなどを全国均質にすることで日本を発展させようと考えました。そのひとつとして近代的な自治制度が求められたのです。

3．昭和の大合併 ——敗戦からの復興と高度経済成長

　敗戦により日本は焼け野原から再スタートを切りました。新制中学校の設置、消防、福祉保健などが市町村の役割とされ、事務処理を効率化するために市町村の合併が促進されます。合併規模は新制中学校1校の設置単位として人口8000人以上が標準とされ、町村数は従来の3分の1にすることが目標とされました。

　三和区の場合、1955（昭和30）年に中頸城郡の3つの村が合併し「三和村」が設置されました。現在の清里区にまで及ぶ広域合併が模索されたり、役場の位置を決定する際に暗礁に乗り上げ最終的に3村の境界点に設置することになったりしたエピソードは、土地への愛着や政治的意図が汲み取れて興味深いものがあります。「三和村」という村名は公募によるもので、次点が「上美里村」

つまり3村から一文字ずつ採用した折衷案と呼べるものでした。この方式は平成の大合併でも見ることができます。

　この時期以降日本は高度経済成長期を迎えます。新幹線や高速道路などの高速インフラの整備により移動時間が短縮され、さらに広域化合理化が求められる時代となっていくのです。

4．平成の大合併 ――新自由主義

　高度経済成長を経てバブル期を乗り越えた日本でしたが、平成に入って三度目の大合併が企図されました。今回の目的はしばらく3000余りとなっていた市町村を合併、広域化することによって、地方自治体ひいては政府の行財政基盤の強化および地方分権を推進することにありました。強化、分権といえば聞こえはよいですが、本質は新自由主義に尽きます。

　1980年代に入り欧米より広がった新自由主義は小さい政府を標榜し、政府がやれることはもうないと考えるものです。鉄道、通信、郵便といった明治期以来国営だったインフラは民営化されました。2007（平成19）年に北海道夕張市がもはや見せしめに財政破綻したことは、「自己責任」のかけ声の下政府は地方自治体の面倒をみない方向に舵を切ったことを示しています。「地方創生」のひとつとして制度化されたふるさと納税に至っては、結果的に市町村同士に生き残りをかけた潰し合いをさせるものです。政府は地方自治体すなわち国民を守ることを放棄したのです。この流れの中に平成の大合併があることを見過ごしてはいけません。

　三和村も周辺13町村のひとつとして2005（平成17）年に上越市と合併しました。この合併では地域自治が標榜され、上越市独自の制度として地域自治区を設置、中頸城郡三和村は上越市三和区となって現在に至ります。

おわりに ――市町村合併で郷土愛は失われ地域のアイデンティティは崩壊する

　東京に住む人は「なぜ雪国の人はわざわざ雪国に住むのだろう」と言います。人がその土地に住むことは結果からみれば必然であるということを理解できないのです。土地の歴史とは人の営みの歴史であり、大事なことは上越市があるから私たちがいるのではないということです。私たちの生活が先にあり、そのために共同体が生まれ自治が始まり行政が組織化されてきました。人が先であることはいつも忘れ去られてしまうのです。

郷土愛という言葉があります。上越市でわかりやすいのは「上杉謙信公」の顕彰でしょう。地域を代表する歴史的人物にもかかわらず顕彰しているのはごく一部の人だけで、上越市全体でみるとそれほど関心を持たれていないようにすら見えます。その理由は、郷土愛とはその実体がナショナリズムやパトリオティズムなどではなく、アイデンティティの確立にほかならないからであると私は考えます。郷土愛を持とうといくら訴えかけても、自分たちが何者か見失った人たちに郷土愛を持たせることはできません。「2040年問題」「自治体消滅」などが話題になる現在、土地と人との関わりを考えることがさらに重要となるでしょう。

　将来的に上越市と妙高市、さらには糸魚川市も含めた市町村合併が議論される日が来るかもしれません。地域に住む人々がこの地に住む意味をこれ以上見失わないためにも「効率化」「合理化」だけを求める市町村合併には慎重になるべきだと私は思うのです。（了）

【参考資料】
『市町村名変遷辞典』東京堂出版 平成11年9月発行
『三和村誌 通史編』三和村 平成14年3月発行
『県別マップル15 新潟県』昭文社
総務省ホームページ「市町村合併資料集」https://www.soumu.go.jp/gapei/gapei.html

有間川駅からトンネルを望む（石塚正英撮影）

まちを創る
21世紀の上越建築スタイルの検証と提言
集まって住むということ「集住・景観・コミュニティ」を考える

磯田一裕 ISODA Kazuhiro

はじめに

　自分事ではありますが私のバックボーンとなる経歴と上越での設計活動から話を始めてみたいと思います。私の専門は建築の企画・設計・監理を行う一級建築士で、上越市で地域住環境建築研究所という建築設計事務所を主宰しています。仕事内容は住宅から医院や店舗、教育施設、事務所建築、社寺建築など多岐にわたり、意匠設計と全体のマネジメントを行う「統活専攻建築士」と、地域の課題解決に向けた住民参加型の検討やワークショップなどのファシリテーションを行う専門家＝コミュニティアーキテクトであり「まちづくり専攻建築士」の2つの専攻建築士資格を持つ建築家で、地元の新潟県立高田工業高等学校（現上越総合技術高校）から大学、そして東京の建築設計事務所で13年間修業し、上越にUターン、地元設計事務所で5年ほど勤務したのち独立して早や20年が経ちました。

※専攻建築士とは http://kenchikushikai.or.jp/senko-new/summary.html

　東京での修業時代には気候風土や地域に根差した環境共生住宅や団地設計、地域住宅計画（HOPE計画）など「集住＝集まって住まう事＝都市と農村＝まちづくり」の仕事に数多く携わり、また茶室や歴史的建造物の復原設計などの仕事をしてきました。独立後は今まで培ってきたスキルや経験を地元上越で活かしたい、そんな思いから様々な建築設計と、ライオン像のある館の保存・再生・活用など、まちづくり活動に取り組んできました。

　21世紀を迎える少し前（1997年）に上越に戻り今年で四半世紀が経過し、この25年間で私が感じた上越の建築界や行政のスタンス、そして主体的に関わってきたまちづくり市民活動及び建築設計・監理の実務から見えてくるものを自分なりに総括し、特に集まって住むということ「集住・景観・コミュニティ」を切り口に、近年の人口減少、少子高齢化、家を住みつぐ後継者不足などによる空き家の増加とコミュニティの崩壊を建築的・都市計画的視点と手法で考え、

併せてまちなか居住の計画づくり及び地域自治のあり方など、これから向かっていくべき上越市のまちづくりのあり様を提言したいと思います。

I. 近代日本における集住の歴史と新潟県の方針

　ここで簡単に近代の住宅政策の流れとその時代の課題や施策、社会の動きをおさらいしておきましょう。1945 年（S20 年）に終戦を迎え建築に関する基本法となる建築基準法 1950 年（S25 年）が、翌年 1951 年（S26 年）には健康で文化的な生活を営むに足りる公共住宅整備の根拠となる公営住宅法が施行されました。さらに圧倒的な住宅不足の解消を図るため 1966 年（S41 年）に「住宅建設計画法」が施行され、1970 年代まで住宅ストックの形成が国是として日本各地で「住宅難を解消する住宅供給」が進むことになります。1970 ～ 1980 年代は「量の確保から質の向上へ」シフトしていきます。1976 年（S51 年）に住宅水準目標が定められ、住宅面積の拡大や設備の増大へと向かい、プレファブ化住宅や住宅設備の質の向上が図られ住宅産業の育成、成長の時代へと向かっていきます。

　1990 年代に入ると 1995 年（H7 年）の阪神淡路大震災を契機に同年、耐震改修促進法が施行され「量から質へ」がさらに耐震化やバリアフリーなど住宅ストックの向上に向かいます。また住宅のみならず災害や防犯などに強いまちづくりへの意識向上が叫ばれ、住環境の質の向上が模索され始めます。2000 年代、住宅ストックの向上はさらに進み 2000 年（H12 年）の住宅品確法、2001 年（H13 年）には高齢者住まい法が、また住宅から住環境への施策は 2004 年（H16 年）に景観法、そして 2006 年（H18 年）には住生活基本法が施行されます。 さらには高齢者や住宅確保要配慮者など、多様な住生活を保障する住宅セーフティネット法が 2007 年（H19 年）に整備され 2008 年（H20 年）の長期優良住宅法により住宅の質の更なる向上とともに居住ニーズの多様化が進みます。

　2010 年代に入ると 2014 年（H26 年）に空家特措法が、また 2016 年（H28 年）には宅建業法にインスペクション（既存住宅現況調査）が規定され、空き家対策や既存住宅の耐震化、高断熱化、高齢者向け改修などのリノベーション等による既存住宅流通が喫緊の課題として取り組まれていきます。

　2020 年に入ると少子高齢化を受け止めた人口減少社会の新たな方向性の中で、片親世帯や外国人居住など多様な人々が住み続けられる仕組みと住宅形態が流通し始め、さらに 2011 年（H23 年）の東日本大震災を契機として災害に強い住宅まちづくりや脱炭素社会の実現に向けた「安全・安心で人と環境にやさ

しく持続可能な住生活の実現」と「地域を支える住宅関連産業の振興」が求められていきます。

　これら住宅・住生活政策の流れの中、新潟県では令和4年10月に「新潟県住生活マスタープラン（第4次計画）」を策定し、新潟県における住生活政策の基本的な方針や目標を掲げるとともに、これを実現するための具体的な施策をさだめています。そして新潟県では地域の特性に応じたきめ細かな施策を講じるためには、より地域に密着した行政主体である市町村において全国計画及び本計画の内容を踏まえつつ、「市町村住生活基本計画」を策定することが望ましいとうたっています。しかし県内でこれを策定しているのは新潟市、長岡市、十日町市、妙高市、佐渡市、魚沼市の6市に留まり、上越市では2004年（H16年）に「上越市住宅マスタープラン」を策定していますが、その後の約20年は検証や改定は行われず現在に至っています。上越市都市計画課に確認したところ、今後策定予定という事で是非とも本提言をご検討いただき、より良い住宅・まちづくりの指針を作っていただきたいと切に希望します。

Ⅱ．上越市の既往まちづくり計画と施策

　ここで上越市が策定している都市計画や景観などのまちづくり計画を列挙してみましょう。

① **上越市都市計画マスタープラン**：都市計画マスタープランは県が定める指針「都市計画区域マスタープラン」や上越市の上位計画である「総合計画」に即し、おおむね20年後のまちの姿を見据えて将来の姿や具体の整備方針を定めるもので、大きくは全体構想と地域別構想に分かれており、さらに実現化方策が示されています。

② **上越市立地適正化計画**：2014年（H26年）の都市再生特別措置法の改正により、市町村が策定することが可能になった計画で、コンパクトなまちづくりと地域交通の再編との連携により、国が定めた「国土のグランドデザイン2050」の基本的考えに基づく「コンパクトシティ・プラス・ネットワーク」のまちづくりを進めるもので、都市全体の観点から、居住機能や福祉、医療、商業等の都市機能の立地、公共交通の充実に関する包括的な計画として、具体的に誘導すべき地域、施設、施策などを定めています。

③ **上越市景観計画**：上越市では良好な景観づくりを推進するため、景観法に基づく「上越市景観計画」を策定し、重点地区などを指定して景観色彩ガイド

ライン等による景観誘導施策を行っています。これらの計画のもと、具体的事業や住宅施策を進めていく必要があり、都市計画マスタープランの地域別計画のように、まちの成り立ちや特性を分類・類型化してその地域の特性を生かした住宅地づくりの指針が必要ではないでしょうか。

Ⅲ．上越のまちの類型とその現状

　それぞれのまちにはその地域固有の地形や街の成り立ち、気候風土そして住まいづくりの作法があります。我がまち上越市は高田、直江津両中心市街地とその周辺住宅地を持つ旧上越市と、周辺の田園地域や中山間地、地域の中心地となる街道沿いの商店住宅集積地などを持つ13町村の「平成の大合併」により形成されています。先ずはそれら地域・地区固有の形態や住環境を類型化し、その現状を明確化したいと思います。

① **町家地区**：旧上越市の高田地区、直江津地区など旧市街地中心部の古くからの人口集積地区で平均的な町家は間口が1.5～2.5間（商家などでは5間位の町家も有り）、敷地の奥行きは直江津では8～20間、高田ではその倍ほどの奥行きでウナギの寝床のような木造2階建て住居が連担している地区です。町家暮らしのネガティブ要素としては「暗い、寒い、プライバシーが無い」など、住宅性能の問題と居住環境の問題の2つがあり、隣家と壁を共有する住戸も見られます。また木造率×密集率からの評価で危険度5となるエリアが多く、空き家率も高く8軒に1軒が空き家の状況となっています。しかし雁木通りで繋がるコミュニティだったり、まちなか居住の便利さもあり、近年高田地区では町家でカフェや民泊、シェアオフィスなどの町家活用の事例も出てきており、上越市が建築士会上越支部に委託し作成した「町家の活用促進に関する基礎調査」など、町家を上手にリファインして既存ストックの有効を図ろうとする取組が進められています。

② **旧市街地戸建て地区**：旧上越市高田地区の武家地や市街地内の中心周辺、直江津では古くから直江の津と呼ばれた砂丘の上の町家集積エリアから徐々に開拓され広がって行った比較的敷地面積の広い戸建て住宅エリアで、旧市内の中心市街地エリアに属している住宅地です。このエリアは昭和35年頃からの高度経済成長期にかけて建設された住宅が多く庭付き一戸建てありながら都市インフラが集積している中心市街地エリアにあり、住宅性能向上リフォームや、耐震化による住み継ぐ住宅、そして戸建てリフォーム売り家と

して流通が見込めるエリアです。

③ **新興住宅地**：中心市街地のスプロール化は高度成長期から始まり高田・直江津の町家地区を中心とした人口集中地区から、広い土地と快適な住環境を求めて次々に造成された周辺の新興住宅地へと広がっていきました。これは大家族から核家族へと家族の有り方の変貌や、車社会到来による移動の自由の確保、南面日照や庭付き、車庫付き住宅へのあこがれなどから「夢は一戸建てを持つ事」が人生の大きな目標となり、農業など第一次産業の衰退とも相まって休耕田圃などの土地区画整理事業による団地造成と、広い駐車場を持つ郊外型商業施設を核とし、効率のよい住居区画をいかにたくさん計画できるかを主眼とした商業至上主義的デベロップメントによる「新しいまちづくり」が行われて行きました。しかし、日本全国どこに行っても金太郎飴のような画一的な町が出来上がり、その街の個性や魅力のかけらもない、地域に誇りも愛着も持てない、住んでいるだけの街が出来ていったのではないかと危惧しています。

④ **田園地域及び中山間地域**：中心市街地から少し離れた田園地域や中山間地域は豊かな自然環境と美しい地域固有の景観に恵まれ、居住環境としても魅力的なエリアです。しかし、農村地域や林業漁業を生業とした地域の活力維持、コミュニティ形成が求められている地域でもあり、農村ならではの魅力を生かした住環境整備とコミュニティ形成による定住人口の確保、都市・農村の連携による地域農業の新たな展開が不可欠な地域として「優良田園住宅の建設の促進に関する基本方針」に示されています。

Ⅳ．コンパクトシティ政策とまちなか居住の推進

　全国各地でコンパクトシティ政策が行われていますが、いくつかの成功事例は有るものの、ほとんどの地域でうまく運んでいないのが実情だと思います。我が上越市でも立地適正化計画に基づき施策は打ってはいるものの、コンパクトにとか行政のできるサービスの限界、施設集約や閉鎖のお願いばかりが聞こえてくるかと思えば、まだまだ新しい住宅地づくりやロードサイド型の商業施設の出店にGOを出している現状は、ちぐはぐな印象も感じられ上越市の本気度が感じられない状況です。

　そのような中で現在上越市では「上越市まちなか居住推進事業」を高田地区、直江津地区の両中心市街地で、ヒアリングやワークショップなどで地域住民と

共に検討し、地区全体のまちづくり方針（案）を取りまとめ、モデル候補地区を定めて「まちなか居住モデル事業」を行っています。これは元々、新潟県の「にぎわい空間創出支援モデル事業」の補助事業で上越市直江津地区の「まちなか居住の推進における部局横断的な連携施策の検討」として令和2年度に採択された事業ですが、なぜかスタートは高田地区からでした。令和3年度から直江津地区でも進められ、現在中心市街地の3町内（あけぼの・福永町・天王町）がモデル候補地区となり検討が進められています。

　直江津地区でのスタート前に県議、市議、上越市都市計画課の皆さんと検討スキームやモデル事業として「ライオン像のある館周辺でのにぎわい創出」と「空き家を種地とした木造密集地の再生プログラム」を考えては如何かとの提案、そして地域を知るためのまちあるき勉強会をさせていただきました。その後の住民参加の検討会を経た計画案については、おそらく令和4年度末には市民に公表されると思いますが、まだ私の知るところではありません。どの様なモデル事業となるのか大変興味があり、また期待するところでもあります。

Ⅴ．提案・その1
「直江津木造密集町家地区における住み継ぐ集住ビジョン」

　今回の私の提言の核心として「直江津木造密集町家地区における住み継ぐ集住ビジョン」を上越建築スタイルとして提案したいと思います。具体の建築的提案はここではしませんが、私の考える8つの現実や手法について少し考えを述べたいと思います。

① **人口減少は変わらない、であるならば社会の構造と住まい方を変えるべき**：
先日、中川上越市長とのまちづくり懇談会の中で「通年観光」は人口減少をどうやって解消するか、人口を定着させるための一つの方策が観光である、そして人口を増やす事に取り組んでいると明言されていましたが、もういい加減に人口を増やすという幻想は捨てたほうが良いのではと進言しました。

　　新潟県住生活マスタープランのデータからも平成7年から人口は減少し始め令和2年からは世帯数も減少に転じています。日本全体の人口が大幅に減少するこれからの時代は、首都圏においても人材不足が顕著になり益々都会へ人は流れていく事になるでしょう。そうなれば国内のほかの地域から人を集めるのは至難の業であり、移住による人口増は期待できず、今まで以上に空き家が増えていく事になります。今後は人口が減る事を前提とした社会の

有り様の変革や交流人口、関係人口の拡大にシフトしていくと共に、木造密集町家地区においては町家の魅力を生かしながら危険度ランク５を改善するため集住密度を低くする事、日照や通風、駐車スペースの確保や住環境を良くしていく事が求められて行くと考えます。

② **ウナギの寝床町家地区の住環境改善で住継ぐまちづくり**：町家住宅の形態は先にⅢの上越のまちの類型とその現状の①町家地区で述べましたが、現状の住宅をそのままリフォームして活用しても郊外型一戸建てのような住環境を確保する事は中々難しいでしょう。県のデータにも有るように、まちなか居住者比率は高齢者や単身者が増加し、１住宅当たりの人員数そして平均延床面積は共に減少しています。このような状況の中では１軒だけの住宅改修であっても必要生活範囲だけを残した減築による住宅性能改善リフォームで豊かな外部空間の創出や日照、通風など住環境の改善を進めることが、永続的なまちなか居住の鍵になると考えます。

③ **昔からの町割りを活かす街区ごとのミニ再開発（通りの雁木と小路景観を残す）**：砂丘の上の直江津の町割りは南北に大きな通りが走り、東西に小路（ショウジ）と呼ばれる路地空間が魅力であり、この町割りを生かした街区の平均は南北 60ｍ×東西 40ｍの 2,400㎡程であり街区内の既存住戸数はほぼ７〜10 戸です。この大きな街区のファサードは町家の風情を残したり歴史的景観を持たせつつ、空き家によって生じた街区内の土地を共有持ち分とする事や、地主さんからも事業に参画してもらい、住戸数を半分くらいの密度にしながら良好な住環境を作って行く事を考えても良い時期に来ているのではないでしょうか。

④ **残すべき町家トリアージで既存町家を生かしつつ、新しい街区ごとの住環境整備**：昭和 46 年以前の住宅は建築基準法改正前の建物で耐震性能が劣る住宅が大変多い状況です。私は上越市の木造住宅耐震診断員として 40 軒近くの耐震診断調査をしてきました。平成７年に耐震改修促進法が施行され上越市としても木造住宅の耐震診断・耐震改修の補助を行っていますが、耐震化率は中々向上していません。

　直江津町家地区における各町内のブロック別築年数を見ると 60％が昭和 46 年以前に建築された建物であり築 50 年以上前の建物です。それら住宅の全てを安全・安心・快適にする事は困難であり、県の住生活マスタープランに新たに加わった「住宅ストックの適正な管理・活用」があるように老朽化が著しいような住

宅や空き家は専門家の町家トリアージで新しい住宅地の種地として適正な解体へと誘導し、街区敷地の有効活用を図って行くべきと考えます。もちろん歴史的な価値や住宅として十分活用できる空き家町家は、専門家の町家トリアージで購入者に安心・安全を伝えながら住み継いでいけるリファイン住宅として改修していく必要があると考えますが、有る程度の街の新陳代謝を促していく住宅施策も必要ではないでしょうか。

⑤ **ミニ街区でのコーポラティブ一団地住宅づくり**：後述するⅥ提案・その2「住宅地づくりのありたい姿」の事例・2における民間住宅団地のデベロップメントのように町家街区を一つの住宅地としてとらえ、一団地認定などの手法でミニ再開発による良好な住環境を整備するとともに、賃貸共同住宅などを整備しながらソーシャルミックスによる単身高齢者や生活困窮者、若い世代の単身者やファミリー層（特に直江津出身で地域に思いのある人々）を上手に受け入れられる住宅地設計が求められていくと考えます。そのひとつが住居希望者が集まって住む家づくりについてワークショップなどを通じて自分たちの理想の街を作って行く一つの手法がコーポラティブ方式によるまちづくりだと思います。

⑥ **ミニ街区の生活を支える新しい地域自治の提案**：上記の街区住民で構成されたコミュニティを町内会自治組織の組と位置付け直江津出身の若い世帯にゆるーい自治役割を担ってもらう社会貢献付きインセンティブ賃貸住宅の検討も、新しい地域自治の仕組みとして可能性があると思っています。単身高齢者の方への声掛け、ゴミ出し等の支援や組長専任などの役務をやっていただくインセンティブとして通常より安い賃料や条件で入居してもらい良好なコミュニティを作って行くことへの挑戦も必要ではないでしょうか。

⑦ **地主が持つ土地を町家改修に生かす仕組みの構築**：直江津は特に借家借地率が高く、移転の場合は建物を解体し更地にして返さなければなりません。そのような中で住宅地の更新を促進していくためには、地主さんにも事業に参画してもらいながら、街全体の不動産価値を高めていく事が鍵となると思っています。

⑧ **新陳代謝を促し、サポートしていく官民連携の仕組みづくり**：そのためには行政が個のプロジェクトに対して積極的に関与しながら進めていく必要があると思います。今上越市が取り組んでいる「まちなか居住」のモデル計画や、補助制度設計などと共に、行政がいっしょに街を作って行くという気概と官

民連携の仕組みづくりにも是非注力していただきたいと切に希望します。

VI. 提案・その2「住宅地づくりのありたい姿」

　ここではおもに郊外型の新しい住宅地づくりについて述べたいと思います。前述Ⅲで記した街の類型ごとの、あるいはさらに小さなエリアでの地域、地区の特筆性を考慮した住宅地のありたい姿を描く事。先ずはそこからスタートしませんか？　そこでは上越ならではの、あるいはそのエリアならではの気候風土や地域特性、環境や歴史的、文化的特性を生かした住まいづくり・まちづくりが重要だと考えます。そして住宅地づくりの具体的手法についても緑地や境界の作り方、人々が集まって住む事に必要なコモン計画、住宅と外部空間との関係性などに配慮した環境共生の住まい・住宅地づくりの視点が欠けていたと実感していて、言わば「ビジョンなき団地造成」が民間の、そして行政の今までのスタンスでもありました。

　東京で住宅都市整備公団（現UR）や住宅供給公社、公営住宅などの団地設計、そして景観づくりを行ってきた私が上越に戻って来た時に一番残念に感じた事は、今まで設計の基本思想として当たり前に考えて行ってきた事が、まったく意識されないまま計画実施されており、特に行政が公の仕事である「有るべき姿の指針」を示せていない事が腹立たしくも感じたのです。

　しかしそんな上越においてエポックメイクな2つの事例がありました。一つは2000年（H12年）宮越市長時代に「環境と共生する住まい・まちづくりフェスティバル」とアーバンビレッジ優良田園住宅設計競技、そして横曽根の田園地区及び下箱井の中山間地で実施された一定のルールやデザインコードのもとに住宅地づくりを行った優良田園住宅＝アーバンビレッジ構想です。そしてもう一つは民間の住宅メーカーである株式会社OSCAR（オスカーホーム）が2007年（H19年）に直江津五智地区で行なった戸建て分譲住宅地「コモンガーデン五智」のデベロップメントです。

① **事例・1**：上越市 環境と共生する住まい・まちづくり、優良田園住宅（アーバンビレッジ整備事業）。この事業の基本的なコンセプトは安全で安心できる暮らし、すなわち環境との共生、自給自足、プライバシーやアメニティーの保持、新しいコミュニティの形成といった視点をもつ住まいの創造であり、「都市と農村の共生による循環持続型社会づくり」をテーマにした「上越らしい住まいづくり・まちづくり」をめざしたものです。これはまさしく私が

提言するエリア別住宅・住環境整備指針づくりの田園地域及び中山間地における基本方針を示したものと言えます。上越市のホームページでは優良田園住宅とは平成 10 年 7 月に施行された「優良田園住宅の建設の促進に関する法律」に基づく住宅であり、ゆとりあるライフスタイルを実現する為、良好な自然に恵まれた環境のなかで一戸建て住宅を建設するものと定義されています。これを実現するために周辺環境や景観そして住宅地づくりのルールを土地購入予定者がコーポラティブ（共同参加）方式により、地区計画やまちづくり協定を締結し、街並みや環境を担保する住宅地づくりを行ったものです。

② **事例・2**：株式会社 OSCAR（オスカーホーム）による民間住宅団地のデベロップメント。この事業は木造 2 階戸建て住宅 8 戸からなる住宅地で、民間の分譲建売り形式の住宅地で敷地は約 37m × 33m（約 1,206㎡）とほぼ整形であり、北側に 6m、西側に 4.6m の市道が通っており、敷地四周に戸建て住宅を配し中央には市道に面していない住戸へのアクセス通路（位置指定道路）を兼ねたコモンスペースが広がっています。

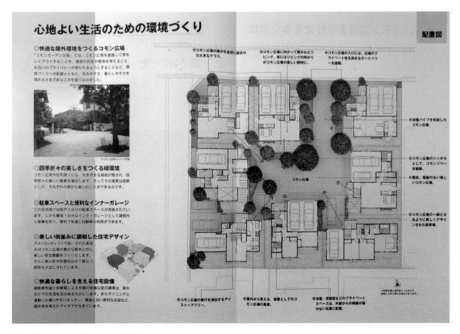

図　「コモンガーデン五智」パンフレットより

出所：株式会社 OSCAR（オスカーホーム）

この団地計画が特筆されるのは8戸それぞれが独立した短冊形土地分譲ではなく、一体の住宅地として住宅の快適性とともに団地内の住環境を強く意識した一団地開発を行うことにより、住民の憩いの場となる中央コモンスペースを確保している事と、それぞれの住宅の境に塀や境界を作らず緑のバッファーゾーンとして緩やかに仕切る設計で、団地全体に伸びやかさと共にコミュニティ意識の醸成が図られるような計画になっている事。そして同じコンセプトを持つ住宅デザインによる統一された街並み景観を作っている点だと思います。

　私はこの2つの事例の住宅地計画のように行政が住宅地やエリア全体のあるべき姿を描き、緩やかなルールを定め住宅地を形成していく事や、民間デベロッパー自らも目先の利益にとらわれず快適な住環境供給していく使命を担っており、一軒毎の住宅はもちろんのこと、それらが集まった街の環境を高めるようなデベロップメントを行っていけば、ゆくゆくは自社の企業価値をも高めていくと考えます。

Ⅶ. 提案・その3　「雁木の保全・再生と街並み景観の修景手法」

　中川市長の目玉施策の一つである通年観光プロジェクトで「歴史文化が感じられ、誇れる魅力的な資源を磨き上げ、来訪者を受け入れる仕組みを整備し全国、世界に上越の魅力を発信する」。「①雁木町家や寺町の町並みの整備・保存　②楽しめるまち直江津を作る　③春日山城を本格的な観光地に整備」を3本柱とし、まずは市民や関係者と意見を共有し計画づくりを進める。としています。

　ここでの提案は雁木町家の景観保全に向けた地域産「越後杉」を活用した修景提案です。上越市高田地区においては雁木保全のための「雁木整備事業補助金制度」が有りますがガイドラインの縛りはかなり緩く「雁木を残す」という目標には一定の効果がありましたが、美しい街並み景観、地域が誇れる景観づくりには残念ながら至っていないのが現実です。また地域産材（越後杉）の有効利用も一昔前までは学校など、公共施設の壁面などに多くの間伐材などが活用されてきましたが、近年ではそのムーブメントも尻すぼみの状況です。

　そこで補助の仕組みを見直し、より修景的なガイドラインの構築と、通り全体の景観を作って行く仕掛け＝お金による補助ではなく、作って行きたい景観に近づけるための「材料の現物支給による補助」に替えていく事を提案します。

Ⅷ. 21世紀の上越建築スタイル

　ここまで縷々思いをつづってきましたが要約すると、敷地特性や地域特性を生かした住宅地の計画づくりと、それを担保する緩やかなルール（指針）の必要性、またそれに向かって良質な社会資本となる住環境を作ろうとする官と民の連携が、これからの上越建築スタイルを作り上げるという事を強く提言したいと思います。

　今までいくつもの計画が作られてきましたが、目指すべき姿への道程は小さな一歩の積重ねからでしか成し得ません。この上越市でも行政も民間も第一歩は踏み出したものの、その成果を次につなげ発展させる事が止まっているように思います。モデル事業は一回こっきりの高いハードルでは意味がありません。モデルを参考に次に続く仕掛けでなければモデルの意味を成さないのです。その意味において上越市や我々建築に携わる者は「普遍性と普通性」を求めて21世紀の上越建築スタイルをめざしていかなければなりません。

　とても能力のある建築家が一生のうちに良い家を建てられるのはせいぜい20〜30軒だとすると、一人では街全体を良い住宅、良い住環境にして行くことは到底できません。しかし地域特性や気候風土などに根差した家づくりの作法を緩やかなルール（普遍性）として捉え、多くの設計者や施工者がその普遍性の上に立った建築を普通に作ることができていけば、まちは大きく変わることができると思います。それこそが21世紀の上越建築スタイルだと私は思うのです。

ライオン像の館、旧直江津銀行／
直江津地区
（藤野正二撮影）

上越の建築文化創造をめざして
2005-2025

中野一敏 NAKANO Kazutoshi

1. 上越の建築文化の難点 —上越の建築スタイルの現在—

　2008 年に建築設計事務所を起業して以来、建築家として、上越の建築文化創造をめざして活動してきた。21 世紀の上越スタイルで使われている「スタイル」の意味と、私が使う建築「文化」の意味が近いと考え、以後、建築文化を建築スタイルと表現する。

　「新建築住宅特集」という、業界内で有名な雑誌が、2012 年 12 月号で、〈日本全国地域特集〉という企画をたて、各地域の建築文化の特色について文章と、その趣旨にそった建築物を募集した。2012 年は、前年の東日本大震災の影響で、地方が意識されていると感じる時期だった。当時は、独立から間もなく、趣旨にそう建築物の用意は無く、文章を寄稿した。

　文章の冒頭、『この地域には雪に代表される厳しい自然と、日本有数の稲作地という農業があり、それらはかつて街のつくりや人びとの営みに現れていた。しかしこうした〈地域性〉は、近代化の中で克服すべき対象とされ、逆にその仕組みを備えたものこそを「地域的な建築」と呼んできた。』と、この地域で「地域的な建築」と呼ばれているものを批判した。

　発売された雑誌を見ると、新潟の建築物事例として横浜の建築家が高田に設計した住宅が掲載されていた。

　その住宅は、高齢者を雪下ろしから解放するために、屋根全体を融雪装置とした住宅で、まさに同じ誌面で私が批判したこの地域で「地域的な建築」と呼ばれている建築に見えた。

　寄稿文は後半で、『「地域」を深くとらえる一部の愛好者が、本来あった〈地域性〉を多様に描き出していく姿に可能性を感じている。・・地域を深く知り、関わっていこうとする人びとの視点が見つけた価値が新しい建築を生み出していくのではないか。』と書き、当時設計途中だった冬荒れる日本海に面した海の家の存在を匂わせて締めくくった。

水平線の住まい／2013年竣工／設計・監理：中野一敏

　冬荒れる日本海に面した海の家は、その後2013年に完成した。施主は通常は、冬の風から避けられる日本海の海辺の土地に価値を見出した自然愛好家だった。住宅は、防風壁を設けて、冬の風を弱めるとともに、座って海を見ると、防風壁越しに水平線が見えるという、風景に新しい価値を与えるものだ。

　「水平線の住まい」と名付けたこの住宅は、黎明期の海外ネットサイトから掲載依頼が来るなど、海外からの反響があり驚かされた。

※ https://architizer.com/projects/residence-of-horizontal-line/

　一方で、日本国内での反響は思ったほどなかった。比較的穏やかな気候の、太平洋側でデザインされる海辺の住宅の型が、ステレオタイプとして刷り込まれている人々には、奇異に感じるデザインなのかもしれない。少し飛ぶが関連のある話題を続ける。

　2017年、上越市新水族博物館の設計者が、全国公募のプロポーザルコンペによって選定された。審査委員も参加者も全国から第一人者とされる人が集まり、選定されたのは、日本を代表する大手設計事務所である株式会社日本設計だった。ちなみに、副選定委員長を務めたのは、前出の横浜の建築家だった。選定

の決め手となった提案は、最上階に水盤を配置し日本海の景観とつながる水面だ。イルカショープールの水面も、視覚的に日本海につながり、まるで日本海でイルカが跳ねているように見える。この手法は、既視感のあるステレオタイプ化されたものだが、この辺りでは珍しいものだった。

この水族館で、オープンから2年の間に、バンドウイルカ2頭とシロイルカ2頭が死んだ。市は関係する分野の第一人者による第三者委員会を設置し、原因を検証した。それによると、『建築の観点からは，この施設の建築上の最大の特徴である日本海と視覚的につながる鯨類飼育プールにおいて，自然環境に対する施設上の防御不足が指摘された． 日本海側の冬季の厳しい気候を考慮した場合，屋内プールという選択肢もあったが，現状海側には風除け壁がなく，また屋根にも大きな開口部があり，夏季の高気温・直射日光，冬季の低気温・強風を飼育個体がまともに受け，それらを回避するための構造になっていないことが死亡原因につながった可能性がある』ということだった。

※ https://www.city.joetsu.niigata.jp/uploaded/attachment/198049.pdf

これを受けて市教育委員会は、バンドウイルカの飼育プールの水位を1メートル下げ、風が当たらないようにした。この施設の建築上の最大の特徴である日本海と視覚的につながる鯨類飼育プールは、失敗に終わった。

上越の建築スタイルは、有名で優秀な建築家であっても、環境の異なる地域で生活している建築家が創造することは困難である。そして、上越の建築スタイルの存在が認知されていないことが、市民に大きな損害を与えるリスクは無視できない。

2．渡邊洋治の遺産 ―上越の建築スタイルの源流を探る試み―

上越の建築スタイルの源流を探る試みも続けてきた。直江津出身の世界的建築家、渡邊洋治の最後の実作と言われる、斜めの家（1976年竣工）が上越市に残っている。渡邊洋治は、近代建築の巨匠ル・コルビジェの孫弟子にあたる。斜めの家は、日本でコルビュジェ派の住宅と言われる4つの住宅に匹敵するとも評される名作である。

しかし、渡邊洋治は、斜めの家の設計意図を文章で残さなかった為、なぜこのような形なのか分からない。私は、2013年に始まった「斜めの家再生プロジェクト」に参加して、斜めの家の保存と共にその設計意図を探ってきた。
渡邊洋治は設計の頃、高校時代から交流のある現代美術家の舟見俊二に、潜水

斜めの家／1976年竣工／設計・監理：渡邊洋治

艦をつくると語ったという。周囲の水田の稲が育つにつれて、稲穂の水平面に
対して斜めの家が潜水艦のように沈降するという。黄金色に輝く稲穂と銅色に
光る新しい斜めの家のイメージが美しく重なり、稲作地である上越の風土と劇
的に融合する。だが、竣工時の写真から、それが現実に見えた風景なのかイメー
ジなのか疑問は残る。

　斜めの家は、雪中に沈む潜水艦でもあっただろう。斜路の周りで繰り広げら
れる様々な高さの視線の交流が、大雪で埋まった雁木通りを行きかう人々とス
キーを楽しむ子供たちの視線に重なるようだ。この地で暮らした渡邊洋治のイ
メージや身体感覚が斜めの家を創ったと考えている。

　渡邊洋治は、学生のための建築見学旅行を企画して行った。斜めの家を設
計している頃、インドのチャンディーガルにコルビュジェが晩年残した都市と
建築群を見に行っている。1975年の旅行に参加した舟見倹二のスライドフィ

ルムは、彼らが何を見たのかを伝えてくれた。その中で特に注目すべきは、Secretariat（1958）だった。行政庁舎と呼ばれるこの建物には、斜路が独立した建築要素として表現されている。この斜路部分の外観には、斜めの家の北側外観とよく似た小窓群がある。さらに、斜路の内観は、斜めの家の斜路の内観と非常によく似ている。

　渡邊洋治が上越で培ったイメージと身体感覚が、世界の建築の潮流と合わさり止揚したものが、斜めの家なのだろう。上越の建築スタイルはこのように創造されると考える。

3．柔軟化する都市上越 ─上越の建築スタイルの未来─

　「地域開発　2021. 秋　vol.639」（一財）日本地域開発センターで、「柔軟化する都市」という特集が組まれ、私が設計した上越妙高駅前の「フルサット」が事例として取り上げられた。特集の最初に、上越市出身の三浦展が論考を寄稿している。三浦展は、「新東京風景論─箱化する都市、衰退する街─」（NHKbooks/2014）で、子供の頃から上京して今に至るまでの体験に基づいて、今の都市や建築がつくる環境を批判した都市論を書いている。私は、吉川の山の中で育ち上京した体験から、上の世代と似た原風景を共有しているのか、とても共感した。三浦展の論考もフルサットも上越が創出に関わっている。それらの見つめる先に、きっと上越の建築スタイルの未来がある。

　三浦展の論考、「箱化する都市 VS 屋台的なるもの」では、『現代の都市は──郊外も──巨大で重厚な箱（ビル、ショッピングモール、倉庫、工場）が林立するようになり、オフィスはカードキーがないと入れないようになるなど、空間が硬くなり閉鎖的になっている。隙間がないのである。確かに公開空地はできているが、誰も積極的に利用しないので、人間の居る場所としてはあまり機能していない。

　だからこそ都市に（地域に）とって、小さい（狭い）、安い、簡単に動かせる、柔らかい（弱い）ものが大事になる（隈研吾と私の対談「三低主義」参照）。大きな空間に小さなものが配置され、自由に動き回ることで、硬さがくずれ、やわらぎ、閉じた空間に風が通り、心が開放される。その小さなものの典型が屋台なのであろう。』と、問題意識が示され、「箱化する都市」の片隅や郊外で、屋台を引き、小さなコミュニティスペースを営む若手建築家の姿が紹介されている。

furusatto（フルサット）2022／2015年〜／企画・設計統括・監理：中野一敏など

　特集の他の記事でも、テント、軽トラ市などによる路上使用や、キッチンカー、車を使った移動図書館の事例など、建築基準法の建築行為にあたらない事例が紹介されているのだが、フルサットは建築物であるのに、「屋台的なるもの」の仲間に入れていただき異例の扱いとなっている。

　三浦展の見立てに沿えば、「箱化する都市」と、「屋台的なもの」が二項対立になる以前の状況に近い、異例の街づくりが、21世紀の地方都市の郊外にできた新幹線駅前という特異点に現れたということなのかもしれない。フルサット立ち上げ時の様子は、下記でレポートしている。

※ http://hokuriku.aij.or.jp/h2ah/entry-210.html

　フルサットの街づくりは、経済効率を優先していない。自治体や、大きな会社が関わっていない。関わって来たのは、個人や小さな組織であり、その人たちが関わった分だけ街が出来ていく、顔の見える開発である。出会いが物事を進めていくから、予めきっちりと決められた計画が存在しない。異例であるが、2015年の新幹線開業以来、上越妙高駅前で人々の居場所をつくってきた。2022年も、駐車場が目立つ駅前で異彩を放つ存在である。

　また、フルサットが示した「柔軟化する都市」の姿は、上越市内でフォロアーを生み、フルサットから上越市内に飛び出している。未来の上越の建築スタイルが見え始めている。

上越地域おける
建設工事と建設企業の変遷

清水恵一 SHIMIZU Keiichi

1．建設工事の始まり

　我が国の建設工事の始まりは想像していたよりは早く、弥生時代に人々が住居を作り、耕地を耕し、定住する様になった時代から始まったようです。ご存知の通り人間が生きていく上での三大要素である「衣・食・住」の一つである住に携わっているのが建設の世界です。「住」はただ単に「住む」という建物の事ばかりを言うのではなく、人々の生活に必要なすべてのハードを総括しています。定住をすると言うことは人々の周囲を整備する事から始まってきます。古代より集落を形成して暮らしていましたので、敷地の整備、耕地の整備をしていかなくてはなりません。水を近くまで引かなければいけませんので、必然的に水路の設置、同時に人々が歩く道路が生まれてきます。この様に人々の生活と共に生まれたのが建設工事です。現存する歴史的な建設工事を見てみますと、4世紀末から5世紀前半の第16代仁徳天皇時代の淀川堤防跡が残っています。面白い事に平安時代や鎌倉時代の寺院の造営で、「請負人」の記録があり請負契約が為されていた事も残されています。上越地域は中央に比べるとまだまだ遅れはとっていると思いますが、神道、仏教の盛んな所ですし、国分寺等も置かれていましたので、社寺の造営には同じ事が行われていたのかも知れません。

2．建設業の移り変わり

　江戸時代に入りますと職人が職業として成立してきました。そして、その職人達を束ねる「親方」が現れ、徐々にその形が資本家的なものに転化して行きました。土木分野では「人入れ稼業」と言う人が現れ、施工主へ人夫を派遣して工事を行なったようです。

　明治時代になりますと海外との流通が始まり、欧米各国の人材や技術が入ってきました。建築分野では、官・民・軍の洋風木造建築物や、煉瓦造建築が造られました。上越市に残されている代表的建築としては旧高田市役所、偕行社

が在りましたが、現在残されている旧第13師団師団長官舎がその代表とされる建築です。土木分野としては大規模な治水工事や鉄道敷設が行われ、明治21年（1888年）には信越本線直江津−軽井沢間が開通し、東京と直江津間が直結されました。この様な背景の中に建設請負業が成立して行きました。弊社（清水組）もこの時期に誕生した建設業者です。中央では明治中期頃、土木請負業の始まりとして、鉄道・大型土木工事を請け負う為に実業家が出資して「有限責任　日本土木会社」を設立しました。

　明治22年（1889年）に会計法ができ、一般競争入札の原則が誕生しました。官庁の大規模工事は官庁直営工事が主体となり、近代的な建設技術は官側技術者が指導・監理を行いました。一方官庁の工事でも鉄道工事を中心に請負による施工が行われていました。

　明治33年（1900年）に一般競争入札の例外として指名競争入札が創設され、現代もこの手法は活きております。

　大正8年（1919年）12月に「日本土木建築請負業者連合会」が設立、この組織が「全国建設業協会」の前身となっています。第2次世界大戦以前は、主に土木工事においては官庁直営工事が主体でしたが、第2次世界大戦以後は戦後復興の渦中で、粗悪工事や紛争が頻発していたと言われています。

　建設業界は次の様に写ってきました。前述した日本土木建築請負業者連合会は、戦後日本建設工業統制組合となり、日本建設工業会へと変わって行きました。昭和23年（1948年）3月日本建設工業会が閉鎖機関に指定され、同工業会の地方支部が改組再出発して現在の各都道府県建設業協会が発足しました。そして昭和23年3月16日 任意団体 全国建設業協会（全国組織の中央団体）が発足しました。

　昭和24年（1949年）建設業法が制定され、建設業者の登録、工事請負契約規制、技術者の設置等が取り決められました。建設省の直轄工事において請負工事が徐々に増加して行き、昭和30年代半ばには請負化の方針が明確化して行きました。昭和40年代には、全面的に請負工事が中心になって行き、その背景には公務員の定数削減があったと言われています。請負化が進んでくる事により、官から民へ技術移転が進み、民の機械化施工技術・施工管理能力が向上して行く様になりました。昭和46年（1971年）建設業法が改正され、建設業者の許可制へ変更されて行きました。

　地方の建設業界は中央とは異なり、土木を中心とした公共事業が中心と言っ

ても過言ではありません。そして地域経済の動きもこの公共事業変化によって左右されると言っても過言ではありません。私達建設業界はこの様な歴史の中で育ってきている為、一見すると政・官には弱いと思われがちですが、決してそうではなく、地域経済の振興を担う一員としての自覚を持ち、地域環境の維持を高い技術によって地域を支えていこうとしています。地域住民の安全を第一に考えながら、地域と共に歩む建設業界として全員で努力をしております。

à la carte

コロナにまけないぞ、燻炭で雪原にアート／牧区樫谷

名立区演劇公演「夢輝いて」

（佐藤秀定撮影）

高田の雁木町家「麻屋高野」の
過去・現在・未来

高野恒男 TAKANO Tsuneo

　私の生地上越市東本町1丁目（旧善光寺町）は、1614年江戸幕府の命令によって直江津にあった福島城と城下町を廃して、荒川の蛇行していた流れを利用し菩提が原の地に人工的に作られた城下町です。旧町名「善光寺町」は元来春日山城下に有りました。謙信公は信州善光寺の阿弥陀如来の信仰を持ち、川中島の合戦後城下に如来を大御堂と共に移させたと伝えられています。

　松平忠輝公が慶長19年（1614年）高田城に入府の時、直江津善光寺浜の住人が移り住んだ地が、当町善光寺町といわれています。町内では材木を扱う商売が主であったと記録にあります。善光寺町という町名は、昭和5年（1930年）の町名改正まで用いられました。

　「麻屋高野」は、明治初年、高野四郎が高野醤油店から分家し、明治32年（1899年）「太物（麻繊維や綿繊維）を扱う商売を始めました。その後、主力は漁網用の麻糸と麻織物となり、名立谷・能生谷・桑取谷から原材料を仕入れました。やがて蚊帳（麻製と綿製）と麻縄も扱うようになります。大正の中頃から昭和初期にかけて、2代目父高野孝仁が家業を盛り上げた。しかし昭和10年(1935年)6月4日、当町内から火災が発生し、上越地方一帯は3日夕方より猛烈な南よりの烈風に煽られ、暴風と化し大火となったのでした。「高田市史」によれば全焼は住家100、空き家4、納屋3、土蔵21、半焼3で計131棟、110世帯、損害30万円とあります。我が家は土蔵を残して全焼です。火力が強く阿鼻叫喚、何も持ち出すこと出来ず貴重な家の資料は焼失してしまいました。残念な事ですが、それ以前の家の詳しい歴史が分りません。

　再建したくても戦時中のため材木不足と資金不足のため完成するには2年かかりました。その間、家族は土蔵の中での苦しい生活が続きました。父親からは大変苦労したと聞いています。昭和12年に再建されたその建物が「麻屋高野」です。この建物は西浜地区（桑取、名立、能生）の麻製品により建てられたと言っても過言ではありません。終戦後、麻文化はアメリカのナイロンの普及により

消滅してしまいました。しかしながら、神社に於いてはお祓い用に必要なもので、栃木県の麻を扱って商売を続けており、廃業は昭和50年でした。

　平成16年（2004年）から市民団体の活動拠点として利用され、町家公開では家の内部を見て頂いています。平成23年「麻屋高野店舗兼母屋」【麻屋土蔵】が国の登録有形文化財に登録されました。両親も苦労したので喜んでいる思います。今では数少ない雪国の独特の雁木町家として評価されています。

　この町家の特色とは、土間が裏まで続きそれと並んで前から「ミセ」「チャノマ」「ザシキ」の一列三室と、「縁側」を介して中庭があります。「チャノマ」は吹抜けになっており、大雪の冬でも高窓から採光できますし、蒸し暑い夏は、高窓を開けて風を通すことによって暑さを和らげることが出来ました。前二階と後ろの二階を結ぶ「渡り廊下」があります。町家に入ったら天井を見上げて下さい。大きな吹き抜けは冬寒く、いつもコタツに潜り込んで頭だけ出して温まっていました。土蔵での思い出は多くあります。悪さをするといつも閉じ込められていました。土蔵に入れると言われると震え上がったものです。扉は三重で子供の力では開きません。それから、雁木とは、街路に面する町家の出入り口に、雪よけとして掛けられた支柱付の軒庇のことです。

　現在の「麻屋高野」は「瞽女ミュージアム」として活用されています。「瞽女（ごぜ）」とは、三味線を携えて瞽女唄を弾き唄う盲目の女性旅芸人のことです。「瞽女」は近年まで全国各地に見られました。明治時代には新潟県の高田と長岡に多くの方がおられました。幼少の頃から稽古を重ね瞽女唄を身に着けた「高田瞽女」は、高田を中心として頸城の各地方や長野県の飯山市、上田市、佐久地方辺りまで、年間の決められた行程に従って300日間の旅をしていました。旅先では暖かいもてなしを受け歓迎されました。そこには相互扶助の精神が生まれました。お互い様の精神です。過度の個人主義が進む現在の世の中、今こそ「瞽女」の行き方、生き方が必要とされていると思います。

　「瞽女ミュージアム」の入館者は年々増加しており、昨年度は年間2200人に達しました。麻屋の家も多くの方の元気な声を聞いて頑張っています。これからも多くの人に来ていただき雪国の町家の雰囲気を感じていただくと共に、「瞽女文化」を大切に次世代に伝えて参ります。また日本一の長さを誇る雁木も残っています。家と家をつなぎ、そして人と人とをつなぐ雪国特有の大切な雁木通りを、高田区の誇る資産として使いながら残していきましょう。近所には「日本のアンデルセン」と呼ばれる小川未明の生誕の地が有ります。「雲のごとく高

く　雲のごとくかがやき　雲のごとくとらわれず」の有名な詩が有ります。ふるさとを深く愛した童話作家です。私の周りには素晴らしい財産が沢山あります。未来に続く人達に伝えていきましょう。生まれた町に良さを見つけ、愛着を持って、自信を持って大声を出して伝えてきましょう。

à la carte

雁木で干し柿作り／
高田地区
（石塚正英撮影）

三八朝市／直江津地区（磯田一裕撮影）

醤油づくり／高田地区
（石塚正英撮影）

〔きものの小川〕の昨日今日明日

小川善司 OGAWA Zenji

1．これまでの歩み

　越後高田の下紺屋町に天保の頃から糀屋を2代に渡って営んできた当家は、明治35年（1902）3代目が呉服屋に商売替えをしてから現在の当主（1949生）で6代目にあたります。呉服屋に変わって4代120年余にわたりこの地で商いを続けてこられたのもひとえにお客様のお陰でしょう。いまも10m余ある高い吹抜けのチャノマには家訓とも言われるような「勤勉誠実萬福基」と書かれた大きな額が上がっています。

　その額が書かれた昭和10年（1935）、当時の高田日報にもあるように6月4日未明、当家の向い側にある家の裏手から午前1時10分頃に出火した火の手は、折から瞬間秒速20mという南風に煽られてまたたく間に北寄りの幸町方面に向けて燃え広がり、本覚寺・大仙寺・稲荷神社などの重要な建物を始め、一般家屋を含めて全焼121戸という大火となりました。いま店舗として使っている瓦葺二階建ての建物（間口5間、奥行7間）は3代目がその時に新築してから87年を経て、今なお商いの役に立っています。

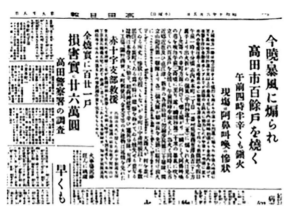

出火を報じる「高田日報」

城下町高田は、徳川家康の六男松平忠輝公によって慶長19年（1614）に造られました。川の流れを変えて外堀として使い、城の西側に北国街道をコの字型（約6キロ）に取り巻くように通し、その街道沿いに町人職人の住居兼店舗を並べました。この隣家と軒を連ねる雁木の町並み景観は、今も日本一の長さを誇る雁木通りとして小学校の教科書にも取り上げられております。現在残る雁木町家は大正から昭和初期（一部は江戸時代）に造られた建物です。その間口に関係なく奥行き平均60mという土地に建てられた典型的な構造として、入ってすぐの場所に土間がある「ミセ」部分があり、奥に向かって「チャノマ」「ザシキ」「ダイドコロ」と部屋が続いていきます。

　チャノマの上は明り取りの為の吹き抜けになっています。部屋の横にはミセから奥へと長く延びる土間「トオリニワ」があり、その奥に中庭と風呂・トイレなどの下屋が、更に土蔵や納屋そして畑へと連なるいわゆるウナギの寝床がその特徴なのです。

　かつて高田は上越地方の商業の中心地として栄え、呉服店の数も多数ありました。昭和55年（1980）の電話帳を見てもその数は60軒を下りません。まだまだ嫁入り道具の調達先としての呉服店の役割は大きく、着物と寝具一式さら

図　元文2（1737）年に描かれた
高田城下図
出所：上越市立高田図書館蔵

には関連する引き出物など、冠婚葬祭すべてにわたって呉服店の関わりは大きいものがありました。　南北２キロの本町通りは１〜７丁目まであり、その中心は３〜５丁目です。当店の場所は７丁目で一番外れですが、車社会以前は町への入口として栄えました。しかし徐々に当店の商いのウエイトは店売りから外商に移ります。３代目は大八車に品物を乗せて犀浜や西頸城方面に行商したと聞いております。戦後は、二階45畳を使って春と秋に呉服の展示会を開催するようになりました。

　車社会になると、国内最大級のショッピングセンターが平成６年（1994）に関川の東側の田んぼの中にオープンし、更にその１キロ北側に平成８年（1996）イオン上越店などが開店すると、高田本町通りからデパートが撤退していき高田は商業の中心地としての地位を明け渡すことになります。呉服店の数も減少を続け、その多くは廃業または洋品や寝具・学校の制服などへ品揃えを変化させながら生き残りを図っていきます。

　そんな中で当店は着物を「衣食住」の「衣」と捉えるのではなく「和」と考えて平成元年（1989）に店舗改装を行い、店名も小川呉服店から「きものの小川」に変更して吹き抜け空間が活かされる様にしていきました。

　さらに仕入先も万人向けの地方問屋から京都で反物作りをしている個性的な問屋に切り替え、和小物類を含めた品揃えの充実とあわせて店内展示の工夫を図りながら陶芸やガラス工芸、漆芸やトンボ玉などの伝統文化的な催事なども開催しながら、気楽に立ち寄れるきもの店イメージを発信していきました。

　きものを現金仕入れして在庫を抱えることは、資金も必要となる上に柄を選ぶ仕入れのセンスとバランスが重要になります。問屋には委託よりも歓迎されて新鮮な反物を安く手当する事が出来ます。

　こうして徐々にお客様に喜ばれて、店のファンも増えていきました。小規模ながら店の個性を発揮できる家業経営を強みに、いつかは売上高ではない地域一番店になる事を目指そうと舵を切っていきます。

　きもののお手入れや寸法直しをはじめ、きものを着て見たいという方に沿った着付け教室やきもので遊ぶ会なども取り入れてお客様の立場に立った店になっていきました。

２．今日この頃

　順調に伸びてきた売上と客数でしたが、平成３年（1991）のバブル崩壊、平

きものの小川　外観　スケッチ

日本人としての伝統文化と美意識を育む

玄関　アプローチ　スケッチ

きものの小川　内・外観　スケッチ

「誠実勤勉萬福基」の精神で商売に打ち込む

成 9 年（1997）消費税 3％から 5％にあがり、ようやく回復しつつあった景気に
ドロップキックを浴びせます。平成 26 年（2014）消費税 5％から 8％に、平成
31 年（2019）消費税 8％から 10％に上がると高額なきものの売上も客数も共に
減少していきました。そして昭和 55 年（1980）1 兆 8000 億円あった呉服市場は、
平成 25 年（2013）には 3000 億円、令和 4 年（2022）では 2200 億円と急激に縮
小していきます。

　時代の流れの中のその原因として、着物は高くて買えない、着物を一人で着
られない、着物を着ていく場所がないという 3 つの「ない」が理由として挙げ
られていました。

　また着物以外でも、100 円均一ショップに見られるような「最低限の機能を
徹底的な低価格で提供」する全国展開の安売り店舗も現れて、いままでの日本
の伝統文化に大きな影響を与えるようになります。

　例えば、香り高い熊本県八代産の畳表が、中国で日本人が作らせた半額以下
の香りのしない畳表に取って代わられて八代の畳生産農家の 9 割以上が廃業す
るなど、いままでの日本の畳文化と伝統が崩壊した事もそのひとつでしょう。
着物に関していえばインターネット販売やリサイクル業者が進出し、価格の安
さと見栄えの良さだけに価値を置く流れを加速させていきました。日本中がこ
のコストパフォーマンス病に侵されていったのです。そこには生地へのこだわ
りも職人の手作業の技も関係ありません。伝統的な技法で造られていた柄をコ
ピーしてスクリーン印刷で作ればコストはかからず、こだわりも審美眼も必要
のない社会の出現です。いままで職人が一生懸命作り続けて来た着物の伝統的
技法も、その職人自体がいなくなってしまっては絶滅危惧種に入ってしまいま
す。親子 3 代に渡って大切に受け継がれ、寸法を直しながら着続けることも過
去の話になっていきました。花火大会が終ると「ゆかた・帯・下駄」の格安 3 点セッ
トがゴミ箱に捨てられるという現象まで現れます。

　そして令和 2 年（2020）中国コロナ発生、令和 4 年（2022）ウクライナ戦争
そして増税と、着物市場は京都の産地も含めて厳冬期を迎えます。コロナ禍で
茶会も結婚式もパーティーもなくなり、着物を着る機会が奪われていきます。
少子化への対策は打たれず、賃金も上がらなければ益々着物を買える人は減り
続けていきました。

　親から子へと伝えられてきた着物文化が断ち切られ、庶民からかけ離れたも
のになっていきますが、辛うじて成人式での振袖姿が若い人の着物に接する機

会として続いている事がせめてもの救いかもしれません。

３．将来の展望・計画

　世界に誇る日本の和装文化を守り継承するという役割を、これまで呉服屋は担ってきました。日本人、特に女性にとって和服を装うという意義は大きいものがあります。日本人としての誇りと人生の豊かさを一人でも多くの人が持つために、茶道や能・仕舞、日本舞踊はじめ、お宮参り、七五三、十三参り、入学式、卒業式、成人式、結婚式、葬儀、正月、お祭りなど、人生の節目での日本人ならではの文化を受継ぎ、日本人としての伝統文化と美意識を育んでいくために、呉服屋の役割はどうあるべきなのでしょうか

　日本の住まいから和室が姿を消したように日本の文化的な豊かさが無くなってしまうのでしょうか。1980年代の２兆円産業に戻らないとしても、どのようにしたらこれからの若い世代の関心に応えながら「きものの小川」という店を継続していくことが出来るのでしょうか。

　展望と課題の一つは、紙媒体から時代のデジタル化や電子化に柔軟に対応できるのかどうか。

　二つ目は着物の作り手である産地と消費者との距離を出来る限り縮めて今までより緊密にメーカーと呉服店が連携していけるかどうか。

　三つ目は業界全体が、メーカーの決めた全国一律の適正な小売希望価格を設定して買いやすい価格で消費者の手元に届けられる事が出来るかどうか。そして「きものの小川」としては、「和」というくくりで取扱い商品を多様化させて若い世代の関心に応えながら新規顧客の開拓を目指し、着物を着る機会や愛好家同士の交流の場を提供しながらメンテナンスを含めてきめ細やかな着物相談に徹しながら自らも率先して着物を着用し、着物の素晴らしさを発信できる「美」の商人を続けていかれるのかどうか、すべては今後の後継者となる７代目とその子供の８代目にかかっているといっていいのではないでしょうか。

　着物文化を守りながら自分が出来る事を「誠実勤勉萬福基」の精神で商売に打ち込み、日本の繁栄にいつまでも貢献していかれることを願っている今日この頃です。

戦後の高田、直江津、上越地域の写真環境

藤野正二 FUJINO Shoji

1. アマチュアカメラマンが喜んだ DP ショップ

　昭和 20 年 8 月、敗戦となった軍都高田を中心とした上越地域には、写真フィルムの販売店や現像、プリント店は皆無でした。個人的ルートとして存在したのは、「写真館」で、そこでフィルムが細々と流通していました。

　この時、世界的な写真家集団「マグナム」のメンバーとして高田から発信して活躍をしていた、濱谷浩氏が東京の米軍キャンプの PX に行き、フィルムの買い出しに行かれ、供給源の大事なルートを確立されていました。記録によれば、昭和 23 年 4 月、高田城址公園で第 1 回モデル撮影会を実施されております。当時のモデルさんは高田芸妓さんの参加でにぎわいを見せていたそうです。今年で 76 回目の継承事業として衰えもせず、続いております。

　振り返れば、日本の写真文化、写真産業などは明治期にさかのぼります。大まかには、日露戦争に勝利した日本が列国の一員になり、富裕層の持ち物にカメラが登場しますが、一時の流行りで、労働運動が盛んになり、この波は富裕層にも及び、世の中が低迷し始めたのですが、小西本店はこの不況を克服し写真関連業界の発展に寄与するのです。

　その後も、小西が「六桜社」という製造会社を作り更に各種写真専門学校を誕生させ、この事が「写真文化」が庶民、国民に浸透する始まりとなるのです。庶民の暮らす家がライカ 1 台とほぼ同じ価格で発売された記録が残っています。こうした背景が日本の敗戦により、4 畳半メーカーが乱立し、日本のカメラブームが始まりました。

　上越地域でいわゆる DP ショップと言われる大衆写真機店は、本町 4 丁目に「マルヤ写真機店」が、その斜め向かいに「大山時計写真機店」が開店し、当時のフイルムメーカーの特約店は「いわしや薬局」と「信慶薬局」が特約店として誕生し、両店は高級カメラを在庫し、販売し、その後いわしや薬局が DP 部門の開業をします。DP 袋に「クスリとカメラ」いわしや薬局写真部とあり、繁盛

したお店です。

　写真館は、高田で寺町に「鹿野写真館」、大町1丁目に「高野写真館」。この、高野写真館のあとに、今は「岡村写真館」が有ります。そして、本町1丁目「伊藤写真館」、別院大門通りの「山中写真館」、南本町2丁目の「磯ヶ谷写真館」、本町3丁目の「小熊写真館」、現在の建物は二代目で最初の建物は愛知県犬山の「明治村」に現存しています。小熊写真館は柏崎から移転されて軍都高田に拠点を移され、写真文化を広げられ、さらには毎年6月1日を「写真の日」と、制定提言をされたのも小熊さんです。東京四谷での会合などが記録に残っております。技術面での改革も素晴らしく、全国区のコンテストで何回もの受賞歴に輝かれました。仲町2丁目には「折笠写真館」。今は大貫4丁目に移転、仲町3丁目には「柴田写真館」、中通町に「タカギスタジオ」、司令部通りの大手町に「写真館イイダ」。直江津地区には中央1丁目に「宮崎写真館」、中央3丁目には「浜写真館」、安塚区では「花之屋写真店」、柿崎区の「写真のこまつ」、大潟区の写真の「きたばやし」、新光町の「アニーズスタジオ」等が有ります。これ等のお店がフイルム現像、特にモノクロ現像でアマチュアカメラマンを育成指導していきました。

　上越地域でアマチュアカメラマンが喜んだのは市内の至る所に「DPショップ」が増えて行った事です。昭和20年代開店のお店は（＊）マルヤ（本町4）、同じ本町4に（＊）「丸越カメラ」、司令部通りの（＊）「シルバープール」、大町2丁目の（＊）「寺島カメラ店」、本町3丁目の石倉メガネ・カメラ店、昭和30年代開店の本町5丁目の（＊）「篠原カメラ店」、同じく5丁目の（＊）「マツミ堂」、知命堂向（＊）「写真のコヤマ」、東本町の（＊）「写真のハヤカワ」、（＊）写真の「三景」、南本町2の「フジフォート」。上越大通りには、（＊）「コービドー」（現在は妙高市で営業）、稲田では（＊）「写真の田村」直江津では何れも現在閉店した「りーべる」「モナリザ」が有りました。現在営業をしているのはチェーン店の「カメラのキタムラ」です。柿崎区では、「ほしの時計眼鏡店」です。店名頭に（＊）印が有るのは現在閉店したお店です。

　時代は白黒からカラーの時代に入り、高田では昭和40年代にマルヤさん、数年後にお向かいの丸越カメラさんがそれぞれカラーの現像を始められ、時代とともに全体の底上げに貢献されました。昭和56年、クイックシステムが開発、同時にフジフォートがこのシステム導入により、わずか45分で現像焼き付けが出来るという驚異的なシステムで新しいカラー写真の時代を迎えました。とこ

ろが、平成に入るとアナログからデジタル化が進み、アッという間に転換していきました。

　では、どうしてこうした現状に変化をしたのか？　簡単です。世の中、「デジタル化」が進んだからです。

2. デジタルカメラ、携帯電話発展時代の到来

　デジタル化が進み、フイルムを使わなくなり、フイルム現像が無くても、デジタルカメラの発達で、映像が簡単に手に入り、プリントをしなくても、画像データーのやり取りをこれも又簡単にパソコンで、又近年は携帯電話で映像交換が出来、保存も画像編集等、あらゆる映像管理が簡単に出来るようになりました。いわゆる「DPショップが無くても、困らない」現状が出来上がった為だと思います。プリントも簡単に出来ます。年間で撮影枚数はお一人、以前のフイルム時代には200枚平均でしたが、今デジカメ時代の枚数は200倍の4000枚以上で、ますます増える事でしょう。プリントをする人が少なくなり、売れない物に「アルバム」が有ります。プリントを必要とする人が減ったからです。携帯電話やパソコンに入れて保存して有り、必要に応じて何時でも「見る事」が出来ます。必要な事は、全部手の中、机上にあり、自身で管理閲覧が自由に出来る状態が今の時代の「映像」なのです。

à la carte

町家の中は8ミリ上映会／
高田地区（石塚正英撮影）

雪と生きる上越
～宿命であり希望である雪～

滝沢一成 TAKIZAWA Issey

　雪は私たちのまち上越の宿命です。宿痾とさえいって良いかもしれません。日本には雪が降るまちなど、北海道、東北、北陸といくらでもあるじゃないかとおっしゃる方もいらっしゃるでしょう。たしかにそうなのですが、上越市は人口およそ18万人。これだけの人口集積地に毎年のように1メートル2メートルときには3メートルと降ることは他ではまずありません。世界を見渡しても、大都市とは言いませんが、中都市レベルでここほど降る例は見あたらないでしょう。

　春夏秋冬をきれいに割れば、冬は3か月。でもここ雪国上越に生まれ育った私たちには、11月から3月までが冬、ほぼ半年間雪に閉ざされる感覚があります。

　冬こそこのまちを一番支配している季節です。

　当地にお住いの児童文学者杉みきこさんは、「おしゃれな少女が自分に一番似合う服を知っているように、このまちは冬という季節を身にまとうことを選んだ」と書かれています。身にまとう冬のドレスは、純白の雪のこと。まさに私たちのまち上越は、雪とともに生きるまちといえるのではないでしょうか。

　当然のように、雪はこの地に住む人々に大きな影響を与えます。文化、民俗、産業……どれをとっても雪の影がちらつきます。

　豊かな雪解け水を活かした水田、水量を生かした明治期からの水力発電、湿気の多い冬が育んだ発酵食品、閉ざされた冬の内職として始まったバテンレース。ハンガリー＝オーストリア帝国から招聘された士官レルヒ少佐がこの地でスキーを教えようと思いたったのも雪が多い師団に来たからでしょう。現在でも国内最長およそ13キロメートル現存し、城下町高田の風情を醸し出す雁木、これは雪の日にも濡れずに街中を歩けるという共生装置です。近年注目されている高田瞽女も、冬が長く特に雪が深いこの地の環境がもたらした風土病ともいえる眼病の多さが、その隆盛の根っこにあったともいわれています。

庶民の気質にも雪は色濃く反映していると考えます。それは「耐えると諦める」、相反する二面性です。

　雪が降れば雪かきをしなくては外に出ることさえできない、毎日まいにちその繰り返しを黙々と続けるしかありません。要領の良さは通用しないので、非常に忍耐強い性格になっていくのは自然なことです。

　江戸時代、越後人を表すのに「頼まれれば江戸まで餅つきに」という言い慣わしがあったそうです。誠実さや人の好さをいうという説もありますが、餅つきにわざわざ越後からひとを呼ぶなどひどい話です。むしろ苦しいこと、理不尽なことにも、嫌な顔ひとつ見せずに黙々と取り組む越後人気質をどことなく揶揄した表現のように思えるのです。この「理不尽さに耐える」ところも、雪が培った気質と思います。

　「諦める」については、こんな話があります。戦国時代「越後の兵（上杉の兵）は日本一屈強」と言われたとか。雪で否応なしに足腰が鍛えられたからともいわれていますが、私は、昔父から聞いた話を思い出します。父は満州ハルピン近郊で教師をしていたとき招集され、敗戦後シベリアに３年抑留された男です。その父が言うには、「新潟県の兵隊は強いといわれるが、それは諦めがいいからだ。もう突撃だとなると、関東や関西出身の連中はそれでも何とか生き延びようとするが、新潟や東北の兵隊は生きようなどと思わず諦めてまっすぐに突っ込んでいく」そうです。ここにも理不尽な状況に唯々諾々としたがう「雪に培われた」雪国気質が表れているように思えます。

　雪国の民は、雪を運命的に受け入れ、雪がもたらす森羅万象に受動的に従い、時に耐え、時に諦め、生きてきたのではないでしょうか。

　雪が寒く暗く閉ざす冬の半年間ののち、雪国はようやく雪解けを迎えます。雪解けはまさに解放される喜びそのもの。ひとも木々も動物たちも一斉に生命を迸らせます。雪国の一年は雪解けから始まる、そんな気がするほどです。消えていなくなることをこんなにも望まれる雪という存在はいったい何なのでしょう。

　しかしそれほど雪消えを望み、雪を忌避しているようにみえる雪国の人々が、一方で初雪を喜ぶ姿もよくみます。子供たちはもちろん、大人も「今年の初雪は、はやいな」とか「牡丹雪だ、これはつもりそうだ」などと言い合いながら空をうれしそうに見上げています。雪解け同様、喜んで雪を迎える気持ちがあるの

です。ちょっと相反するようなところはどこから来るのでしょうか。

　私は、雪と生きること、雪と在ることこそ、雪国の人間は、自分の人生そのものと直感しているからではないかと思うのです。冬が一年を支配し、春夏秋を従えているまちに住んでいるという、いわば雪との一体感を無意識に抱いているのです。

　ようやく私が申しあげたい言葉に辿り着きました。それは『雪は、私たち自ら選んだ宿命にして僥倖である』ということです。

　宿命にしても僥倖にしても、本来人にはどうしようもないアッチからやってくる境遇ですが、それを自ら選びとったこととすれば、すなわち雪と生きることをコチラから能動的に選んだとすれば、見えてくる景色が少しく変わってくるのではないでしょうか。

　雪との無意識な一体感から意識的な一体感へ。

　能動的に雪と生きるまちとなり、ひととなる。雪を忌避するのではなく、積極的に共生する、さらには共創する生き方を実現したまちでありたいと思うのです。

　具体的には、明確に克雪と利雪を事業化しようという考えを私は持っています。

　克雪は、雪による一切の危険をなくす、一切のストレスをなくすということに尽きます。雪を克服したまちづくりや生活を実現します。

　まずは徹底した除雪体制を敷き、どんなに雪が降ろうとも車を走らせることができる、鉄道が止まらない強い交通網の実現が必要です。上越市や妙高市の機械除雪は全国屈指の機動力があると思いますが、それをさらに高めます。河川水加温型消雪パイプや地熱利用の融雪など最先端の技術を駆使します。

　雁木町家の景観形成をアイデンティティと決めたまちでは、伝統的な雁木の復元整備を進めます。現在は、雁木が途切れてむしろ通行の障害になっているところも多々あります。そうしたところを直していきます。もちろん上越特有の町家の整備も必至です。

　利雪は、雪を大いに利用する、雪を大いに売り出すということです。

雪を前面に押し出した国際的な観光セールスを明確な意図を以て行います。売り物は、雪のまちの景観であったり、さまざまなウィンタースポーツ、豊穣な雪国民俗・民具、食であったり、アイデア次第で大きく膨らんでいきます。雪室という上越のブランドとなりかけながら、進捗を止めている事業も今一度充実発展させる必要があります。

　上越市を、雪の少ない国やまちに住むひとが羨む都市にできたらと思います。
　世界のひとが憧れる雪の都市へ。克雪など世界のひとが学ぶ雪のまちへ。それが上越の未来の希望になると私は考えます。

　三月。もうすぐ雪解けを迎えるころ、所どころで雪がぼうっと青く光ることがあります。それを、児童文学者の杉みきこさんは、「雪を割って芽吹こうとするフキノトウの命の力が光らせているのだ」と綴っています。
　雪はやがて輝くべき上越の希望そのもの。雪という宿痾を希望へ。
　それを願って、筆を擱くこととします。

à la carte

雪のイベント／浦川原区（松井隆夫撮影）

雁木の故郷は近くにありて遺すもの

高野恒男 TAKANO Tsuneo

　誰にでも生れ育った場所が故郷であります。記憶に残る風景、神社、お寺、保育園、小学校、友達、お祭り、花火大会、、お店、食べ物、空気、匂い、音、森、川の流れなど次から次と思い出が、頭の中を駆け巡ります。地域に永く住まいしていると灯台元暗しに陥ってしまい、感覚が鈍る事は当たり前です。目の前に見えていても何も感じなくなります。思い出の多さ、他にない町並み、誇りある町、当たり前の中にこそ宝が埋まっています。江戸時代初期から続く雁木通り、雪国越後の助け合う心情が深く染み込んでいます。こんな貴重な生活感が濃縮された雁木を次の世代に残して行きましょう。

　現代は個人主義とプライバシーが重んじられ、他人様の為になるなろうとの気持ちが薄れつつあります。雪国では一人では生きていけない。人と人が繋がっていくことで生活できます。古いから駄目だ、ではなく、歴史の中で続いてきた生活感を感じられることが大切であると考えます。何処にもない歴史はお金では買うことが出来ません。

　雁木通りを中心とした人々の暮らし振りと服装、履物などが、今でも懐かしく目に焼き付いています。懐かしの映像を見ると、二七市、四九市、国民体育大会行進、祇園祭などの場所では必ず雁木が映ります。16キロから13キロにまで減少した雁木。今尚その持てる有効性を発揮し、通る人々に安心と安らぎを与えています。譲り合い、助け合いの気持ちから、雁木で人と人が繋がること、それは上越市の市民の優しさを醸成し今にまで続いています。日頃感じていなくてもしっかり身についています。雪国の人々が培った思いやりの心が詰まった雁木を自信を持って残して行きましょう。

　有ることが当たり前じゃなく今一度良く考えて見ましょう。県外から来られる人達から評価される事が多いのです。何処にもない町並み、歴史を感じる町、今の時代に失われていく先人の知恵が詰まった雁木町家を大切に使い、残していきましょう。近くにいるからこそその意義を再確認し合って大切にし、そし

て誇らしく自慢しましょう。私の住んでいる幸町の偉人、日本のアンデルセンと言われています童話作家小川未明は、「雁木は母親の懐のように通る人々を暖かく包む」と語っています。

　約350年続いてきた雁木は今も市民と共に生きています。頑張っています。機械化、AI化が益々進んでいきますと、それに伴って失うものが多くあります。雁木をゆっくりと心穏やかに歩いてみましょう。そして「城下町高田」の雰囲気たっぷり残す町並みの風を感じてみましょう。雁木町家は、そこに人が住むことによって残ります。思いやりの心を発揮できるのは、雁木で人が繋がっているからではないでしょうか。今の時代こそ雁木をとおして、その心が必要とされています。

　少し手を加えて住み続ける町家。自慢しましょう。守り遺しましょう。思い出のない町、愛着のない町は無味乾燥で、つまらないありふれた町です。年数の経過したものには新しものにない美しさがあります。上越市オンリーワンは何でしょう。その答えは雁木と瞽女です。歴史と文化の生き証人です。「瞽女さん」という言葉を聞くと子供の頃を思い出します。家の前の雁木通りを3人連なって歩く姿が目に浮かびます。子供にとっては瞽女さんのことは何もわからず、時には瞽女遊びと称して、近所の悪童がふざけて雁木通りを連なって歩いたものです。遊びに夢中になり側溝に落ちたことも度々ありました。今になり、悪いことをしたと反省しています。

町家での祝賀記念会
（左から小川善司・高野恒男・中川幹太、2017年10月28日、石塚正英撮影）

瞽女宿調査で上越市の各区、そして関田峠を越えて信州飯山市をめぐりました。どこの瞽女宿のお年寄りからも瞽女さんが歓迎され地域の皆さんに受けいれられていたことをお聞きしました。ある年寄りは「今も元気にしておられますか」と懐かしそうにたずねられました。峠を越えこんなに遠くまで歩いて来られたのかと驚きです。待っている人たちの顔が浮かび、久しぶりにお会いしたい、唄をきいて喜んでもらいたいとの気持ちが背中を押し頑張って歩いたのでしょう。その旅を支えたのは村々の瞽女宿と人々の温かい人情味があったのです。瞽女歌を唄い、地元の方々と民謡を唄い、日頃の苦労を忘れ、盛り上がりました。そこには、お互いをいたわり助け合う精神が生まれていました。

　外部の人達から指摘される前に、そこの地域に暮らしている人が率先して活動し、地域のかけがいのない宝物を次の世代に渡していきましょう。そのようにして歴史を作り、繋いでいきましょう。

à la carte

浄興寺本堂への参道
2004 年／落慶法要記念

浄興寺親鸞聖人御本廟
2004 年／落慶法要記念

（佐藤正清画）

II

道・旅・文化交流

頸城地方の道の変遷

古賀治幸 KOGA Haruyuki

はじめに

　21世紀の現在、上越市が位置する頸城地方は北陸自動車と上信越自動車によって、全国に張り巡らされた高速道路網と接続しています。現代の高速道路のルートは、時代をさかのぼれば、古代の律令制における官道のルートとほぼ類似しているとされ、頸城地方には古代の北陸道と東山道から分離した北陸道連絡路が走り、それはこの地に位置していた越後国の国府と関連していたとされています。頸城地方における道は、古代の官道から現代の高速道路に至るまで、どのような変遷をたどってきたのか概観してみましょう。

1．古代の官道と宿駅

　古代の律令制における官道として、北陸道には若狭、越前、加賀、能登、越中、越後、佐渡の7国が位置し、京の都から佐渡まで40の駅が設置されており、そのうち、越後の頸城地方には、滄海（青海）・鶉石（能生谷）・名立（名立町岩屋堂付近）・水門（直江津）・佐味（柿崎付近）の駅が設置されていました。北陸道は、越後に入って水門までは日本海に面する厳しい断崖に沿って進み、また、内陸の山道を通ったとする見方もありましたが、水門から先は断崖沿いではなく、平坦な砂浜が続いていて、その砂丘上を駅路は進んだとされています。

　一方、東山道から分岐した北陸道連絡路は、信濃の麻績、日理（篠ノ井）、多古（三才）、沼部（野尻）を経て越後に入り、水門へと続いていました。越後内での道筋は、東側山麓路として板倉郷・高津郷・五十公郷・夷守郷を経て北の柿崎町直海浜に至るルート、西側山麓路として妙高山麓から斐太・両善寺の南葉山麓を通り直江津に至るルート、頸城平野路として関山・新井・栗原と関川に沿って中央地帯を走るルートが推定されています。

２．中世の越後・頸城地方の道

　中世には武士による地方支配が進み、都と接続した官道は寸断され、地方ごとでの道が整備されていきました。鎌倉時代には京と鎌倉を結ぶ街道は東海道より中山道が優先され、越後と鎌倉を結ぶ街道としても信越国境に中山八宿（荒井・二本木・松崎・関山・関川・野尻・柏原・牟礼）が設けられ、京と越後の往来でも北陸道より中山道経由の方が盛んになりました。また、関東の上野と越後を結ぶ三国峠越えの道も整備され、越後内でも魚沼と頸城を結ぶ内陸部の道が整備されていきました。

　室町時代には地方の領国において拠点となる館や城を中心に道が整備されました。越後では、関東管領の上杉氏の系統が守護となり、直江津に越後守護の館や政庁が置かれ、府中または府内と呼ばれました。なお、府中という地名は17世紀前半にヨーロッパで作られた日本の地図においても見られます。また、守護代の長尾氏は府中の御館とは離れた春日山の城を拠点として活動し、いわゆる戦国時代には長尾氏が越後の実権を握りました。

　特に、長尾景虎すなわち上杉謙信の時代には、春日山城から越後各地への道が軍用路として延伸、広域化し、いわゆる上杉軍道が整備されました。春日山城からは、北陸道を日本海沿いに北上する越後統治の道、北陸道を日本海沿いに南下する上洛の道、松之山街道・三国街道による関東への道、信州街道・飯山街道による川中島への道が機能していました。

３．近世の街道と在の道

　近世、豊臣政権下では全国の大名に領国統治に関して郡絵図の提出が命じられ、越後では上杉景勝により「慶長二年越後国絵図」が作成され、頸城地方に関するものとして「越後国頸城郡絵図」が現存しています。頸城郡絵図に描かれた地域は、西は関川から東は米山まで、北は日本海から南は信越国境までの範囲で、旧中頸城郡の頸城村、三和村、大潟町、柿崎町、吉川町、旧東頸城郡の浦川原村、安塚町、大島村、牧村であり、春日山城と越後府中の部分は描かれていません。

　絵図では、まず大道として、関川（「わうけ川」）に架かる橋から「三た川」を渡り、保倉川（「くろ江川」）に架かる橋まで低湿地を通過する道が、両わきに植物を描くことで示されています。その先に北陸道（北国街道浜通り、奥州道）として墨の点を連ねそれに黄土の線を重ねた道が描かれ、黒江村（黒井）―く

との町―柿崎町―八崎（鉢崎）が示されています。また、松之山街道・三国街道として墨の点を連ねそれに黄土の線を重ねた道が描かれ、木田渡から上市野江村（市野江）―真砂新町（上真砂）―上広田村（三和区上広田）―〈中略〉―下横住村（浦川原区横住）―安塚町―直嶺之城（安塚）―〈中略〉―大嶋村（大島区大島）が示されています。さらに、在の道が細い線で描かれ、わうけ川の橋から下玄女村（下源入）―上玄女村（上源入）―八すへ村（安江）や、新保村（南新保・北新保）―三橋村（三ツ橋）―福田村（福田）―下まなこ村（下真砂）―下なから村（下名柄）―上なから村（上名柄）が示されています。

　江戸時代に入ると高田城が築かれ、府中・直江津の関川に架かる橋がはずされ、北陸道は寸断され、越後・頸城地方は高田を中心に江戸と結ぶ街道が整備されました。北国街道（信州街道、善光寺道）は、高田伊勢町口番所（南本町1）から新井―松崎・二本木―関山―田切・二俣―関川・上原―関川関所を経て信州に入り、信濃追分で中山道に合流しました。北国街道の浜通り・奥州道は、高田の稲田口番所（東本町5）から荒川橋（稲田橋）を通って関川沿いを下り、春日新田―黒井―潟町―柿崎―鉢崎関所を経て日本海沿いを北上して佐渡への渡航地である出雲崎まで続きました。加賀街道は、高田の陀羅尼口番所（北本町3）から中屋敷・大豆（春日山）―長浜―有間川―名立小泊・大町―能生―梶屋敷―糸魚川―青海－歌・外波―市振関所を経て、越中、加賀へと続きました。松之山街道・三国街道は、稲田から下稲田―戸野目―〈中略〉―番町（川浦代官所）―〈中略〉―下横住―安塚―大島―〈中略〉―十日町―塩沢から三国峠を経て上州へと続きました。

　江戸時代の在の道は、奥州道の荒川橋（稲田橋）から春日新田までの間における寺村―大日村―富岡村―門前村と並んで、小町川沿いに下源入村―安江村―上源入村―三田村―小猿屋村―戸野目村を結んだ道などが示されており、江戸幕府公式の正保国絵図や天保国絵図のほか高田藩の越後国頸城郡細見絵図でも同様の道がみられました。

４．近代の国道と鉄道

　近代になると、直江津で関川に荒川橋が架けられ、黒井―直江津―名立と北陸道が繋がり、明治期には東京から開港場に達する道が重視され、北国街道から直江津を経由して北陸道で新潟に至る路線が国道となりました。高田の陀羅尼口から加賀街道を経て藤巻追分で分岐した今町道が主流となり、そこには明治天皇の北陸巡行に併せて電信線も架設されました。その後、戦後になって北

国街道の直江津に至る道は国道 18 号となり、京都から直江津を経由して新潟に至る北陸道は国道 8 号となりました。

　1885 年に直江津で鉄道の建設が始まると、停車場として直江津駅が関川左岸に設けられ、高田―新井までが開通しました。その後、関山を経て長野から群馬の高崎までの信越線が開通し、最終的には東京の上野駅までが鉄道で結ばれることになりました。また、関川右岸の春日新田に北越鉄道が建設され、関川に鉄橋が架けられると、当初より内陸に移動した直江津駅と接続し、鉄道でも東京から直江津を経由して新潟に至る、後の信越本線が形成されることになりました。これにより、町の中心が駅舎の周辺となり、直江津では、駅前から五智国分寺方面に至る県道が開削され、北陸道と接続、一方、春日新田から富岡を通って稲田に至る道は県道となり、春日新田から大島村に至る道も県道として新たに開削されました。この大島村に至る県道は後に国道 253 号となります。

　直江津では、古くから廻船問屋街として栄えた中央商店街、新たに鉄道の敷設に伴い発展した駅前商店街、国道 18 号と国道 8 号の整備により発達した西本町商店街が結びついて、中心部の市街地が形成されていきました。しかし、1970 年代後半以降、市街地を取り巻くように建設された国道 8 号バイパスにより周辺から消費者の流入が低下しました。また逆に、高田・直江津の市街地に展開していた店が、国道 18 号沿いの藤巻地区に駐車場を備えた大店舗を建設し、幹線道路沿いに本格的な郊外店舗が出現するようになりました。

5．現代の高速道路と新上越市

　頸城地方に関わる現代の高速道路としては、1980 年代後半に東京と新潟を結ぶ関越自動車道や京都方面と新潟を結ぶ北陸自動車が開通し、1990 年代末には関越自動車道の藤岡で分岐した上信越自動車道が上越 JCT で北陸自動車道と接続しました。これにより、頸城地方と首都圏のアクセスが向上し、さらに 21 世紀には魚沼地方と結ぶ上沼道の建設など頸城地方内での高規格道路の整備が進みました。そして、国道 18 号の上新バイパスなどの整備により、従来の鉄道の駅を拠点とした街の発展から、いわゆる郊外の大規模商業施設とアクセスする地域の発展が起こってきました。

　北陸自動車道と上新バイパスの接続点である上越 IC が位置する富岡地区および春日山駅周辺の上越市役所から謙信公大橋で関川を越え、かに池から三田地区に広がる地域に郊外型の大規模商業施設が集積し、周辺の有田地区でも宅地

開発などが進み、地域の生活環境も大きく変化してきました。今後は、富岡および三田地区の郊外型大規模商業施設の集積地域と、旧上越市の中心であった高田および直江津の駅前周辺の地域との交通のアクセスが求められます。そこでは、両地域を結ぶバスなどの移動手段の整備など、主に自動車による旧上越市域での社会的一体性の形成が期待されます。そしてさらには、国道18号の上新バイパスから国道8号および国道253号に接続し、また、いわゆる新井柿崎線や国道405号に接続する道路網の整備により、新たな13区と結び付いた広域の新上越市としてのさらなる発展が期待されるでしょう。

おわりに

　頸城地方において古代から現代まで道の変遷を概観してみましたが、道の結節点となる地域の中心が時代と共に変化しています。また、地域として一定の共通性を持つ範囲も時代とともに変化しています。21世紀における広域の新上越市では、各地域と結んだ道の結節点として、富岡－三田地区を一つの中心とみることができますが、そこには古くから人の往来がみられたともいえるのでしょう。

à la carte

スイッチバック、
中郷区二本木駅
（松井隆夫撮影）

北前船の湊から物流基地としての
直江津港の未来

佐藤和夫 SATO Kazuo

　寛文 12 年（1672）、河村瑞賢が幕府の請負で策定した西回り航路（北前航路）の寄港地は、酒田の幕府米の輸送のための避難港として指定されたため、いわゆる北前船による流通経済の爆発的な発展が多くの廻船問屋や遊郭を出現させ、経済的自立と町衆文化を開花させた「直江津今町湊」（今町湊）の存在は、ほとんど注目されず、高田藩の外港として幕府領や藩の御蔵米の積み出し量だけが、郷土史家によって指摘されるのみでした。

川の湊（千曲川の通船説明看板より）

しかし近年、原直史氏の石見国清水屋客船帳の報告や出雲崎町海運史料の熊木屋・泊屋の客船帳によって、今町を基地とする北前船の寄港記録が圧倒的に多いことが分かってきました。積み荷の記録を見ると移出より移入が多く、その中心が瀬戸内海の塩だということが分かります。一般的には、塩は北海道へ運ばれたと思われがちですが、今町に入った塩は高田の塩問屋を通して関田山脈の富倉峠を越え、飯山で千曲川の「川の湊」（記念碑がある）から信州の各地へ大量に運ばれていきました。

　ところが、明治になると北前船による物流は一気に衰退していきます。

　北陸地方には北前船の船主集落が数多く残されており、北前船で財を成した豪華な船主屋敷は資料館として公開され、パンフレットなどには「明治時代に至って汽船や鉄道網の整備、電信・電話の出現で北前船が衰退した」と説明しています。北前船の経営は船主が船頭を雇って、船頭の裁量（船主との契約）によって寄港地で売買する「買積み」という独特の商法によるもので、船主は直接物流に携わることなく利益だけがもたらされるため、船主屋敷の立地はあえて港湾施設に接している必要がありませんでした（旧津有村の保坂家が２隻の船を所有していた）。汽船の登場が産地直送を可能にし、電信・電話によって商品相場の情報を素早く入手できるという情報革命が起れば、直接物流に関わらない船主達にとって、衰退の道をたどるしかなかったというのは当然ともいえます。

　一方直江津では、江戸時代から続く片原町（天王町）を中心とする廻船問屋街が逆に活況を呈していった様子がうかがわれます。これは直江津今町が物流基地であったことを示すもので、物流を支配する廻船問屋が船主を兼ねて航海に乗り出すという物流基地独特の姿があったというのも要因の一つであるといえます。これは後に問屋が共同で汽船を所有する礎になったものと思われます。

　また、明治維新で高田藩のからの自立、城下の各種問屋の拘束からの解放により廻船問屋の裁量で自由に売買できるようになったことも忘れてならないことでしょう。

　直江津の港は河口での荷役がほとんどできず「目の前がぜんぶ港」と言われたように、近代港湾の時代を迎えても、江戸時代そのままの「沖がかり」といわれる沖荷役の港という苦悩の港であったため荷役に時間がかかり、商品を海岸倉庫に保管することになりましたが、それが期せずして電信を利用して高値の地域に出荷するという、相場のコントロールを可能にしたのも活況の一因といえます。

海岸荷役の直江津港（大正から昭和初期の絵はがき）

　陸路では、明治26年に全通した唯一の列島横断鉄道である信越線で関東一円
へ、長野から篠ノ井線を経由して松本や伊那谷へ、直江津港にあがった海産物
を一気に輸送できるようになりました。また、長野県上田を基地として諏訪方
面へ商圏を拡大する海産物問屋も出現しました。
　港湾機能が脆弱で苦悩しながらも、東西日本の接点であり海陸の接点として
の直江津は、日本海側の重要な物流基地の一つとして発展していきました。し
かし物流の基盤が変わると直江津の地位にも変化が現れます。北陸線が大正2
年に開通すると、良港を持つ富山県の伏木が直江津にとって替わり、昭和5年
の上越線開通は新潟から関東への物資の流れを替えていくことになりました。
　苦悩する港を劇的に変えたのが、昭和33年に挙行された、関川の河口を通称
ドックと言われた部分と背割り堤で分離する「直江津港河口分離大改修工事起
工式」です。当初、背割堤を貨物船のふ頭にして現在の佐渡汽船の発着場の整
備程度に考えられていたものが、東へ東へと港が拡大することになり、佐渡汽
船が防波堤の先端を越えて「出港」するまでに20分もかかるという人工の海港
――これならどこでも港が造れると言った人がいる――が出現することになり
ました。

新たな港が再び物流に変化をもたらすことになります。

　例えば、コンテナ船は接岸時間を惜しんで荷下ろしが終わるとあっという間に出港し、ガントリークレーンで下ろされたコンテナはトラックで黒井駅の貨物ヤードに集積されるか、トラックがそのまま目的地に向かうという、直江津港は新たな物流の港へと変貌しました。

　今後、直江津港の立地と物流機能をどのように生かしていくべきなのでしょうか。

　建設中の通称上沼道が開通した場合、六日町・上越間が約45分、関越自動車道の六日町・新潟間が約1時間45分かかると計算されています。単純に計算しても関東圏との物流が1時間も短縮される直江津港の利便性が当然高まることになります。

　もし東日本大震災発生時に、信越線の軽井沢・横川間が分断（北陸新幹線の開業による）されていなかったら、直江津港を利用した大量の救援物資輸送や日本海縦貫線で大迂回したガソリン輸送がもっと素早く行えたのではないかと思います。震災発生当時の国土交通大臣が、災害に備えて「新たな国土軸の構築が急がれる」と発言していましたが、その後どうなったのでしょうか。

　海がある限り航路は生き続けます。線路がつながっている限り鉄道は機能します。この機能をつなげる力を持っているのは、直江津港を活かした上越地域ではないでしょうか。

※本稿ではあえてエネルギー港湾としての直江津港には触れませんでした。

《道・旅・文化交流》研究　近・現代篇
鉄道と文化交流

石川伊織 ISHIKAWA Iori

1．旅する人々とその記録

　新潟、それも上越はただの辺境ではなく、古来より交通の要衝でした。古くは北陸道と北国街道によって京と江戸・奥州を結ぶ結節点でしたし、これに北前船による海運が加わります。それがために、近代化以降も鉄道がいち早く敷設されましたし、現在でも、北海道から九州を結ぶ物流のメインルートとして重要な位置を占めています。こうしたルートを通して、人々はどのように旅をしたのでしょうか。とりわけ、近代以降に注目すれば、鉄道旅行が人々の生活にどのような影響を与えたのかが問題となります。この問題に、実際に旅をした人々の書き残したものをもとにして迫ることはできないか、と考えて取り組んだのが、標記の研究でした。

　そもそも、旅行をするのは、旅することそれ自体・移動それ自体が目的であるか、それとも何か別の目的があって、それを実現するために旅をするかのどちらかでしょう。移動に多大な時間が必要であった徒歩旅行の時代には、何かの目的を実現するための旅であったとしても、その途上で必要とする時間は膨大です。それゆえ、旅行すること自体の苦労とそれによって実現される目的とを比較して、それでも旅をする必要があったがために旅行に出たのでしょう。したがって、他の目的があったとしても、旅それ自体もまたその目的の一部をなすということになります。そうした意味で、江戸時代には庶民でもお伊勢参りの記録などを多数残していました。目的がお伊勢参りであったとしても、その往き帰りの道中もまた旅それ自体であったからこそ、道中記というものが記録として成り立つのです。

2．旅と道中記

　では、現代の私たちはどうでしょうか。旅行作家ではない私たちは、旅の逐一を文書に書き残したりはしません。それは、観光にせよ出張にせよ、旅の目

的は旅先での活動にあるのであって、目的地までの旅程は、できる限り快適で短いものであるべきだ、と考えるからです。ここでは、移動それ自体には意味がなくなっています。意味のない事柄は記録したりはしないでしょう。結果として、現代の紀行文は旅先での出来事の記述が中心となり、その途中の旅路についてはあまり関心を向けないということになります。旅の途上の記述に専心するとすれば、それはたとえば内田百閒の『阿房列車』のように、ただひたすら汽車に乗ることだけを目的にするマニアックなものとなるでしょう。実のところ、旅をした人々の書き残したものを探るというのは、大変困難なことかもしれないのです。

あるいはこうも言えます。人の一生の最終到達点が死であるにせよ、では「死」こそが人生かといえば、そうではない、ということです。芭蕉が人生を旅に喩えたのは、「死」に至るまでの「生」それ自体が人生の目標であるからで、これは目的地までの道中それ自体が旅であることと同様のことでした。その芭蕉は紀行文を多数残しています。

あるいは、与謝野晶子の二度の佐渡旅行を思い返してもいいでしょう。晶子は 1924 年と 1934 年の二度、新潟から佐渡へと旅をしていますが、1924 年の旅は全くの私的な旅、歌を詠むための旅でした。この時の短い旅行記は、帰郷直後に刊行された雑誌『明星』の第 5 巻第 4 号（1924 年 9 月号）に「旅の覺書」と題して掲載されています。一方、1934 年の旅は講演旅行でした。講演をしていたのはもっぱら晶子で、夫の寛は同行していただけでした。しかし、この旅のあらましを記しているのは寛の方で、晶子は文章化してはいません。晶子にとって、1924 年の旅は旅それ自体が目的、1934 年の旅は、講演が目的の旅であったと考えることもできます。ここには旅の目的と旅それ自体の分裂が始まっていると言ってもいいでしょう。

百閒の時代にはさらに分裂は進んでいます。百閒が『阿房列車』の旅をしたのは 1950 年から 55 年にかけてのことでした。第二次世界大戦下で混乱を極めた鉄道技術と鉄道ダイヤがやっと大戦前のレベルに戻り始めた時期であり、電車特急や新幹線が一般化する以前の時代です。この時期でさえ、百閒は、何のために旅をするのか、そこへ行って何を見るつもりか、と尋ねられます。既にこの時期には、旅は何か旅以外の目的を達成するために行われるもので、旅とその目的は別だという考え方が一般化していたのでした。ただただ汽車に乗りたいだけの百閒、旅は汽車に乗って移動することそのもので、それ自体が楽し

い百聞にとっては、この質問が大変腹の立つことであったようです。だからこそ、へそ曲がりの百聞は、無目的であることを旅の目的にするという逆説を堂々と主張してはばかりません。これが本来の旅の在り方であったかもしれないにも拘らず、すでにこうした考え方は一般には受け入れられにくくなっていたのです。新幹線と航空機でとにかく目的地に速く到達することが求められる現代においては、もはや百聞のへそ曲がりは受け入れられる余地すらないでしょう。

3．修学旅行とその記録

　道中記が記されなくなったということは、「旅」から「道中」が消滅したということでもあります。これは、交通手段の高速化に伴って起こると考えられます。けれども、信越本線が全通した130年前には、新潟から上野までは一日では行けませんでした。ここにはまだ道中記の成立する余地はありそうです。

　はじめ、この研究において探求の対象としていたのは、新潟から中央へといわば青雲の志を抱いて旅立っていった人々の残した記録であり、あるいは、新潟を訪れた著名人の残した記録でした。しかし、これらの人々は訪れた先である東京での活動、あるいは新潟で目にするであろう文物ないしは新潟での活動が目的となります。移動自体が目的でない場合、その道中の時間は短ければ短いほど良いわけです。これでは道中記は成立しないでしょう。

　資料を探索する途中でたまたま目にすることになったのは、新潟高等女学校の学友会誌『呉竹』の1928年の号でした。ここには驚くべき量の道中記、すなわち修学旅行と遠足の記録と、それを上回る文化交流の痕跡が記されていました。

　まず、修学旅行の記録についてみてみましょう。

　新潟高等女学校は本科の他に高等科を有していました。このそれぞれが修学旅行を行っています。しかも、修学旅行には校長が同行して、校長自身が行く先々でレクチャーを行っていました。そのうえ、登山に力を入れていた新潟高等女学校は、本科と高等科のそれぞれの修学旅行の他に、夏休みには希望者を募って富士登山が決行されていました。

　1928年の号に掲載されたのは1927年に行われた修学旅行と富士登山の記録です。複数の生徒が分担して記録しています。本科の修学旅行は京阪方面への一週間の旅行です。5月3日の午前中に新潟を発ち、新津で青森発大阪行きの長距離列車に乗り換え、京都着が翌日早朝、これから、京都・大阪・奈良・伊勢・名古屋を経て、最後は中央西線で長野に向かい、善光寺に参詣して5月9日の

夕刻に新潟に戻る、車中泊1泊を含む6泊7日の強行軍でした。しかも同校は同時期に、他学年の生徒達には柏崎や弥彦、温海温泉への日帰りないしは1泊の遠足も行っています。ちなみに、この年は越後鉄道が国鉄に買収されて、国鉄越後線となった直後でした。

高等科の修学旅行はさらに興味深いものでした。大正天皇の大喪の礼の直後に当たるこの年の10月28日の磐越西線の夜行列車で一行は新潟を発ちます。磐越西線は1914年に全通しています。これによって、信越本線経由よりも短時間で上野まで到着することができるようになりました。上野公園の博物館、靖国神社、明治神宮、皇居等を回り、江ノ島に足を延ばし、鎌倉にも行きます。上野に戻ると、次は東北本線の列車で宇都宮を経由して日光へ。中禅寺湖畔の洋式ホテルに一泊して、次は仙台と松島を回り、郡山乗り換えの磐越西線の列車で新潟に戻ったのは11月4日の昼です。

夏の富士登山も同様でした。8月2日の磐越西線の同じ夜行列車で上野に出て、上野公園を散策したのち、飯田町の駅から中央本線の列車で大月へ向かい、大月からは私鉄に乗り換えるのではなく自動車をチャーターして、登山口へ。富士に登山して、下山後は御殿場へ向かい、東海道本線の列車で江ノ島へ。長谷の大仏を見て、鶴岡八幡宮を参拝して上野に戻り、磐越西線の直通列車で8月6日の昼近くに新潟に戻っています。

近年の修学旅行は新幹線や飛行機の利用によって目的地までの時間が短縮された結果、出発から帰着までの所要日数は短縮されていますが、当時は今よりも、旅行の過程で訪問する場所がはるかに膨大であることが特筆できます。この数年後の新津高等女学校の同窓会誌で見ると、こちらはさらに強行軍だったことがわかります。1927年の新潟高等女学校とは逆回りで、先に善光寺を詣でていますが、帰路では金沢にも足を延ばし、金沢城と兼六園を見学しています。訪問先に橿原神宮が加わったのも特記すべきでしょう。

4．講演に訪れた人々と講演録

1928年号の『呉竹』には学校主催の外部講師の講演会の記録が掲載されています。驚くべきは、この年、学校が主宰して新潟県内外から招聘した外部講師による講演会は24回に及んでいます。

この中には下田村出身の漢学者で、のちに大修館書店の『大漢和辞典』の編集者となる諸橋轍次博士の講演も含まれています。東京の体操音楽学校創設者

でのちにこれを東京女子体育大学に改組し、その初代学長となる藤村トヨ、小石川高等女学校校長川口愛子、オリンピック選手であった人見絹江といった女性も登壇しました。暁烏敏の名前も見られます。

　新潟から旅立った人の事例としては、この年の講演の中でも諸橋轍次博士の「支那時局につきて」と題する講演は興味深いものです。日本が中国大陸に進出を始めたこの時期、国家を背負って中国に留学する諸橋の立場は極めて微妙なものだったと想像されます。けれども、この講演の中で諸橋は、雑誌『新青年』に集う若い研究者たちの白話運動を高く評価しています。中国共産党の設立にもかかわってくるこれらの学者たちの活動を好意的に見ている諸橋の視線には、単なる漢学者としての古典的な姿勢には収まらないものをよみとることができるでしょう。

　1935年の『呉竹』には、与謝野晶子が1934年に新潟高等女学校で行った講演の要旨が、生徒の手によって記録されています。分量的に見て、講演の筆記というよりは要約にとどまるこの文章の中で、晶子は女子教育の重要性を説き、女性には自然科学は向かないという偏見を一刀両断しています。新潟高等女学校に向かう前日に立ち寄った長岡の互尊文庫（現・長岡市立図書館）での講演も、その記録が残っています。この日は長岡高等女学校でも講演を行っていますが、これについてはいまだ資料を発掘するには至っていません。同じく高等女学校における講演です。長岡では晶子が何を語ったのかは、大変興味深いところでしょう。

5．資料発掘の重要性・未来への展望

　当時、新潟高等女学校で校長を務めていた華房敏鷹は、「デモクラシー校長」の異名をとるほどの進歩的教育者だったといいます。「女子が男子より低い教育に甘んずべき理由はすこしもない」と主張し、早くも1920年には県立の女子大学設立を全国高等女学校長会議に提起したといいます（新潟県立新潟中央高等学校創立八十周年記念行事実行委員会『われらの八十年』（1980））。こうした県外旅行と講演会の開催がひとり華房校長の個性によるものだったのかどうかは、検証する必要はあるでしょう。そのためにも、広く県内の資料を探索する必要があると思われます。

　一部の高等女学校の問題であったのか、それとも当時の新潟県の文化交流に共通の現象であったのか、あるいは女子教育に特有の問題であったのか、それ

とも当時の中・高等教育の課題であったのかを明らかにするには、県内の学校の資料をできる限り発掘する必要があるでしょう。

　時代の制約も考慮しなければならないでしょう。明治末から昭和の初めにわたるこの時期は政治的・軍事的には、日清・日露の戦争に始まり第二次大戦へと至る時期です。しかも、文化的には大正期デモクラシーあるいはリベラリスムから言論弾圧へと向かう時期でもありました。与謝野晶子の1924年の新潟・佐渡旅行からの十数年間は、第一次大戦に伴う好景気から戦後不況へ、関東大震災による経済的打撃から統制経済へという時期でもあります。

　こうした複雑な状況下で、人と物の移動が文化をどのように媒介していったかを、新潟、それも上越・頸城を中心に明らかにしていきたいと考えます。著名人の残した記録ではなく、地元の地味な資料にこそ注目したいと考えます。まずは資料の発掘です。

à la carte

軽便鉄道、頸城区レールパーク
（松井隆夫撮影）

直江津港、大型貨物船が
入港しにぎわう
（藤野正二撮影）

新潟県鉄道発祥の地　なおえつ

牛木幸一 USHIKI Koichi

　明治 5 年日本に鉄道が走って昨年（2022）で 150 年となり、日本で初めて汽笛がなってから遅れること 14 年、明治 19 年に東京に向かって新潟県で最初に汽笛が鳴り響いたのは、この上越市直江津であり、明治 30 年新潟へ向かって最初に汽笛が鳴り響いたのは新潟市・新津市でも長岡市でもなくこの直江津市にほかならない。この直江津も大正 2 年に北陸線が全通し、当時全国三代扇形車庫と言われた直江津機関区を持ち、まさに港と鉄道の町となり多くの企業を誘致し発展している。

1.「ほくほく線」北越急行株式会社の発足

　日本最速 160km/h で走っていた「はくたか」の記憶はまだ新しい。直江津〜首都圏、北陸圏から首都圏へ、上越新幹線ショートカットとしてメインルートの役目を果たしていた幹線でもあった。

　冬期になると孤立状態になる松代地区の住民は、鉄道敷設は夢のまた夢であったが、浦川原まで軽便鉄道が敷設されていた状況を見て、地元有志が昭和 7 年に、松代から直江津へ結ぶ鉄道が欲しいと声を上げたのが始まりとなる。昭和 6 年には国鉄上越線が開業していたこともあり、直江津〜松代〜十日町〜六日町で開通していた上越線へ接続のルート（上越西線と言われ後北線と呼ばれることになる）を当初陳情していたが、昭和 15 年頃松之山温泉を中心に浦川原付近から越後湯沢に直接抜けるルートが浮上し（これが南線と呼ばれる）、南北戦争と呼ばれる北線・南線の誘致合戦が、戦後をまたぎ 14 年間に亘り繰り広げられることになる。昭和 28 年 2 月の第 9 回鉄道建設審議会開催時点でも両案の一本化ができずに保留となっている。これは、明治 23 年に東京〜新潟ルートをめぐり県が一本化できずに信越海線工事が遅れた事と似ている。結果、昭和 37 年に発生した大規模地すべりにより上越西線が決定されるのであるが、地元住民が生活利便性を求めて鉄道誘致を望んだ事がうかがえる。

工事は昭和43年から始まったが、昭和50年代に入りオイルショックと共に国鉄の経営悪化が進み、昭和55年国鉄再建特別措置法が施行され鉄道新線工事が凍結されることになり、昭和57年3月に工事は全面的にストップする。国鉄再建法では建設が中断された新線については、第三セクターによって工事は可能とされた。地元有志は豪雪地帯を利便化し、生活基盤を確立するためにも必要な線路であるとして、県と関係17市町村及び企業等13団体の出資により、第三セクター北越急行株式会社を昭和59年8月30日に設立した。昭和60年2月、政府から免許を受け同年3月工事を続行し、平成9年3月22日開業の運びとなっている。当初単線非電化として工事が進められたが、昭和63年整備新幹線絡みでほくほく線を電化・高規格に設計変更され設備が高速化に対応し、日本最速160km/hのスーパー特急「はくたか」が生まれることになる。

　従来長岡にて新幹線乗換で首都圏へ向かった人々は、このショートカット路線ができたことで、北陸圏の旅客の多くは金沢～米原経由東海道新幹線を利用していたが、スーパー特急「はくたか」出現により金沢～ほくほく線～越後湯沢～上越新幹線が利用されるようになった。これにより、越後湯沢駅での乗り換えに足早に階段を駆け降りる姿が風物詩になった。しかし、平成27年3月14日北陸新幹線開業により「はくたか」が廃止となり、今では懐かしい思い出となっている。日本初のシアタートレイン「ゆめ空号」はトンネル区間の特性を生かしたユニークな車両であり、高架空眺める越後平野も壮大なスケールを持っている。また平成29年4月18日には貨客混載列車（六日町～浦川原間）を走らせるなど、トラック運転手の人手不足解消等、新たなニーズの開発に取り組んでいる。

2．えちごトキめき鉄道株式会社の誕生

　ご承知の通りえちごトキめき鉄道は、平成27年3月14日北陸新幹線開業に伴いJR東日本の信越線妙高高原駅～直江津駅迄、JR西日本の北陸線直江津駅～市振駅間をJRから切り離し独自の鉄道会社組織（第三セクター方式）として発足した会社である。地域とすればJRの一部の線区であった時代から見れば、鉄道が極めて身近になったと感じるところでもある。新幹線ができ東京が近くなりローカルは増えたが、新潟が遠くなったと感じるのは私だけではないだろう。

　これによって直江津地区、糸魚川地区のJRの主なる現業機関が全て移管され、コンパクトになっている。逆に言えば、痒いところまで手が届く営業戦略を発

揮している。営業施策も、二本木のスイッチバックなど JR の大組織では決して旅客誘致の手段となり得ない所を売出し、国鉄 455 系気動車を取り入れ、令和 3 年に D51827 を借り入れ、D51 レールパークを開設するなど、今では「雪月花」は全国的な観光列車として知名度も高い。また今冬季中越地区における豪雪で道路が渋滞した時止まっていたのは物流トラックが大多数を占めていたからである。そのことを考えれば、今後「貨客混載列車」を設定することにより妙高〜直江津〜糸魚川一体の道路の物流緩和となりうる。流通ヒスイラインにおいて令和 2 年に新駅「えちご押上ひすい海岸駅」を設置し、この春には建築限界測定車両「おいらん」も配置されるという。全国鉄道ファン注目の鉄道会社となっている。AI 化が進み無機質になりつつある中で手作り感が漂う会社となりつつあり、新潟県鉄道発祥の地としての存在感を示してくれるだろう。

3．自動車社会との共存

　新潟県鉄道発祥の地として直江津にまつわる鉄道を記載した。これからこの鉄道をどう生かすかが問題となる。今では自転車に乗るにもヘルメットがいる時代だ。しかし、300km/h で走行する車内ではプロテクトもヘルメットもシートベルトもいらない。走行中でも園児が走り回ることができる乗り物は鉄道しか無い。交通事故に合う確率よりも鉄道事故に合う確率がずっと低いほど安全な乗り物であると同時に、環境にも優しい鉄道でもある。過疎に住む人々にとって、鉄道は「新しい未来への接点」であった。

　鉄道は、文化と産業を地方に分散化させ潤いを与えたが、中央集権を更に集中化させた。同時に、地方にとって中央への入り口が地方からの出口となり都市の過密化を後押ししてきたことも、結果としての事実である。しかし、明治大正昭和の時代を支えたのは鉄道であった。

　だが、戦後昭和 29（1954）年の道路整備 5 カ年計画からモーターリゼイションが発達し、輸送業にドラスチックな転換が行われ、昭和 39（1964）年に初めて国鉄は赤字を計上する。過去流通の多くは「鉄道」によって行われていたが、高度成長期を踏まえ高速道路網が整備され流通関係は次第にトラック輸送に転嫁されていった。その実態を国民の前に明らかにした象徴的な事件は、昭和 50（1975）年に公労協の行った「ストライキ奪還闘争（スト権スト）」であった。

　日本の物流を鉄道が担っているとの自負から、列車を止めれば物流が停滞し日本経済が麻痺し、政府は必ずスト権を付与すると錯覚した公労協（国労・動

労等）の判断は、既に物流はトラック業界に流れ日本経済は混乱することなく推移し、逆に国鉄の経営形態のあるべき姿を考えさせる結果となった。この構図は、かつて炭鉱労働者が「会社は潰れても山は残る」と考えストライキを続行していたことと似ている。

　また、昭和39（1964）年は国鉄の赤字を初めて計上する年でもあったが、「新幹線開業」の年でもあった。もし新幹線が開業していなければ、地方の鉄道は著しい速度で衰退して行ったであろうと思う。

　新潟においては、時代が生んだ宰相田中角栄氏の才覚により上越新幹線をいち早く敷設できた。今となっては死語となっている「裏日本」に明るい光明をもたらしたことは事実である。そして今、北陸新幹線が延長され今後上越市がどう変化していくのかが問われていく。

4．進む高齢化社会

　鉄道の特性の一つは「大量輸送」である。しかし、大量輸送とは都市間輸送にほかならない。また戦後ベビーブームが「団塊の世代」を生み、「団塊の世代」が後期高齢者になろうとしている。今後少子化が進み人口が減少しつつあるなか、5人に一人は老人という時代に入る。社会はAI化が進みワークショップが変化をもたらし地方分散化が叫ばれながら、都市はますます肥大化していく。そうしたなかで、都市間輸送の大量輸送は考えられるのだろうか？ 否である。

　50〜60年前には考えられなかった一家に一台の車が、今では一人に一台となっている。自動運転化が進み、高年齢でも運転可能という時代がすぐそこにある。また50〜60年後には、一家に一台ドローン車という時代になる可能性もある。鉄道の将来を想像するのは難しい。鉄道が今後「移動空間・移動時間」にどのような付加価値をつけていけるかが問題であるが、地方都市、過疎化された都市、第三セクター化された広域な都市をもつ鉄道の将来は極めて難しいと言わざるを得ない。同時に政治において「一票の格差」が問題になっているが、都市と地方における移動の手段としての「交通権」をどう考えればよいのかという問題もある。今、地方において鉄道がどう生き延びていくのかは大きな問題となる。

5．鉄道の付加価値とは

　また、国有鉄道から公共企業体、そして第三セクターへと企業としての利潤の

追求を求められた鉄道は、公共性を踏まえながらその収支が問われる。そもそも「公共性」を収支で図ること自体問題であり、何処まで自立が可能なのか？ という問には、人口減少地方都市では基本的に収支は採算が取れないのが現実だ。

　私達の生活は、雪が降れば目の前の国道・県道・市道に除雪車が来て除雪をしてくれる。その除雪車の経費は国土交通省、県、そして市町村の税金で賄われている。なぜなら道路管理責任者であるからだ。だから、道路が陥没すればその施設管理をしている所が負担する。しかし、公共性を求められている鉄道はどうだろう。線路の保全維持は、各鉄道会社が、各第三セクターが維持管理している。

　道路の保守は「受益者負担」という考えがある。ガソリン税の使い道が端的に現れている。つまり道路の毀損は車を使用する者が負担をするという考えによる。このことから鉄道は鉄道を利用するもので負担をすべきで、税金で鉄道を支援するのはいかがなものか？ という考えなのだが、鉄道の恩恵を受けているのは鉄道を利用している人だけなのか？ ということなのだ。鉄道が走っていること、災害復旧時物資の運搬を含め鉄道が繋がっていることのメリットを考えれば、「地域沿線全体が鉄道の受益者」そのものではないかと思う。鉄道が持つ付加価値をどのように認めるのかという問題でもある。

6．鉄道は未来にどう関わるのか

　妄想の世界で議論しても答えは見つからない。直面する問題として都市が過密になれば道路は渋滞する。東京では地方ほど車を必要としない。地下鉄を含め鉄道網が発達しているからだ。山の手線が「環状線」となっているのは結果であり、最初から環状線とすることを目的とはしていない。しかし環状線になったことによって東京は肥大化した。

　車社会到来以前に駅中心に構築された地方は、駅前商店街に駐車場スペースを持たない。なぜなら駅前商店街は駅に乗降する人、駅を利用するお客様でことが足りたからである。車社会の条件は充分な駐車スペースがあることであり、そのスペースが確保できる場所は郊外という事になる。結果として車社会に対応したマーケットが郊外に造られ、地方の駅前商店街は消え去ろうとしているのが現実だ。まさに駅前商店街は小店街化し、やがて消店街化して行くのが現実となっている。都市構造と交通体系は密接な関係を持つということを表している。言えることは、人々はより便利で快適な方向を求めているということだ。

7．鉄道特区制の導入

　鉄道は今単なる目的地へ移動するための手段としての鉄道から、鉄道自体を楽しみ、移動時間を楽しむ方向へ、移動空間・移動時間に、どう付加価値を付けるかを考えていかなければならない。

　私は、新潟県鉄道発祥の地として、鉄道を生かす手段として「鉄道特区」を提案する。新潟県鉄道発祥の地である直江津は、鉄道敷設の原点を考案した「鉄道憶測」を生み出した先人の街なのだ。

　頸城鉄道コッペルが「くびき野お宝を残す会」によって保存されており、当時の軽便鉄道として残されている機関車及び車両は、全国の中でも群を抜いた保管車両数となっている。しかし、現在の百間町レールパークではレールの延長をすることはできない。なぜなら延長するには道路を横切らなければならないからである。現在の鉄道法により「踏切」を造ることはできない。しかし、鉄道特区を指定されれば「踏切」を造ることは可能なはずだ。されば、北越急行 KK.大池憩いの森駅に接続し―大池観光―坂口記念館―百間町レールパークの大池自然公園一帯の軽便鉄道コースができる。

　新潟県鉄道発祥の地としてのトキめき鉄道の「雪月花」・D51 レールパーク・「おいらん」検測車という稀有な車両を迎え、全国の鉄道ファンは直江津に注目することは疑う余地はない。「鉄道特区」として認定すれば、五智公園 D51-75 という数少ない D51 初期型（ナメクジ型）蒸気機関車の静態保存から動態保存へ、産業遺産として残すことも面白い。圧縮空気方式改造で本線営業運転も可能かもしれない。

　鉄道の将来は、上下分離、JR 東・JR 九州で模索している列車自動運転、四国で走り始めた DMV、バス・タクシー鉄道を含めたマルチ交通運賃網、環境にやさしい鉄道は貨客混載列車で物流も変えられる。都市構造体系など課題はあるが鉄道特区制度の中できないことはない。鉄道の将来を想像するのは難しくも楽しいものだ。

地域資源と景観を活かしたまちづくり
街並み focus

岸波敏夫 KISHINAMI Toshio

1．活動目的・理念と経緯

　上越市の本町6、7丁目、大町5、仲町6丁目を中心とした高田中心市街地の歴史・文化・景観・産業を守り育て、それらの地域資源を活かした地域の活生化を目指す。団体名にある "focus" の "フォー" には、対象となる上記4町内の4（four）という意味も込められている。

　地域の課題と活動を始めたきっかけは以下の通りである。築城当時そのままの町割りを現在に残す貴重な雁木は、現在は歯抜け状態で町家も年々減少している。歴史的な景観の街なみを残し、地域の資源を利活用しながら、住んでいる人が愛着と自信をもてるような街をつくる一歩を踏み出すために活動して来た。

2．活動の内容とプロセス

　まず、地に足の着いた事業展開に繋げるため、地域の資源や街づくりについて調査、研究した。そこから得られた情報をもとに、意識啓発のためのフォーラムの実施や街並みの景観づくりのための取り組みを実施した。

　主な活動内容は以下のとおりである。
・地域資源調査
　訪問調査、訪問写真調査、調査内容発表、地域資源アンケート調査（生業、生活、山間地や県外地域との関わり等、）など
・景観街づくり事業
　景観意識啓発（歴史、景観フォーラム）
　先進地視察研修
・街並み保全活動
　雁木通りの住宅に格子戸を取り付ける取り組み
　（格子プロジェクト）など

3．成果

　格子プロジェクトでは、完成した格子を雁木通りの住宅の戸や窓に取り付けた。格子の制作をメンバーで協力して行ったことも有り、参加した者同士の交流も深まり、街づくりに欠かせない人の輪が広がった。こうした取組のほか、夏には風鈴、行灯などが並び、秋には干し柿を吊るすことで昔ながらの雁木通りの景観に一層深い味わいが加わった。

　街づくりへの取組は、具体的に「形にする」ことが重要である。他地域の人から評価が得やすくなり、街の魅力や取組の成果を実感、できる。それが取組んだ者の張り合いとなり、よりよい街づくりを目指そうという推進力に繋がり、そしてさらにその動きが他地域にも波及していく。そうした理想的なサイクル作りが着実に進められている。

　特記すべき活動として、以下のものがある。①地域活動支援の一環として、当該地域で行われる行事、共同作業などに参加し、町内間や関係団体間の交流や連携を促進してきた。②地域資源事業の一環として、当該地域で営まれてきた商業や、職人技術、行事（祭りにおける伝統料理くじら汁提供）、地域コミュニティーの仕組みなど、地域生活の調査結果を生かして、様々な体験事業を実施してきた。例えば、切干し大根体験・干し柿体験の他、浴衣の着付け、朝一での看板の提供など。③景観保全事業の一環として、町家や雁木（雪国特有の軒下を連ねた歩道）の改修（柱の色塗りや格子の取り付け）・修繕・建替えなどの費用を補助する「景観保全補助事業」を進めている。それと並行して、④景観フォーラムを実施し、地域に根差した景観に対する意識や知識の普及に努めている。

　中でも、街並み focus・あわゆき組（伝統文化の未来への継承を目的とする市民団体）・上越市立大町小学校（6年生）の3者による活動「人がつなぐ雁木のまちの歴史景観（大町小学校6年生の総合学習）」は、2014年度「都市景観大賞」（国土交通大臣賞、全国1点のみ）を授与されることとなった。講評の一部を抜粋して引用する。「雁木を題材に、地域の専門家や住民の協力を得ながら、子どもたちが体験的に町並みやその伝統的生活を学ぶ景観教育は極めて優れており、都市景観大賞にふさわしい活動である。」

4．今後の課題

　街づくりの担い手として小、中学生など若い世代を取り込むことである。後世に残していくためにも、若い人たちには自分達の街に愛着と自信をもって欲しいし、そのためには雇用につながる事業を増やすことも重要になる。

　同時に街づくり構想の骨格づくりや、関係町内会と連携した街並み保存の合意形成やルールづくり、モデルづくりなども進めていきたい。地域のことを細部まで理解しているのは、やはりそこに住む地元の人たちである。まずは地元住民が地域のことを学び、特徴を理解し、魅力を引き出すために動きださなければならない。「自分たちの街は自分たちでつくる」という考えが私たちの根底にある。街づくりは長い時間がかかるが、強い信念をもって取組を続けていきたい。

à la carte

快晴の高田駅（石塚正英撮影）

上越妙高駅、新しい上越の玄関
（藤野正二撮影）

頸城文化による地域社会活性化
頸城野郷土資料室

石塚正英 ISHIZUKA Masahide

1．NPO 法人の設置理念

　特定非営利活動法人頸城野郷土資料室は、2008 年 2 月に新潟県知事の認証を
うけ、同年年 4 月 1 日に創立されました。

　上越市のホームページに掲載されている 2008 年 3 月当時の人口・世帯数統計
をみると、前月に比べ、人口にして 160 人減、世帯数にして 15 世帯の減少をみ
せていました。上越市は 2005 年 1 月 1 日、隣接する 13 町村と合併しましたが、
人口の面ではさほど発展していませんでした。けれども市の基本方針の一つで
ある「自主・自立のまちづくり」実現に向けた努力は確実に成果を挙げていま
した。ただ、平成の大合併の場合、政治的・経済的には利点が見られても、文
化的には合理化のあおりをうけて地域切捨ての深刻化するケースがありました。
地域に根ざした文化は往々にして隣接市町村には価値をもたないかのような認
識がみられたのです。そうであってはなりません。これまで幾世紀にわたって
最小の規模としては字単位で形成されてきた頸城各地の郷土文化を、文字通り
の意味での上越後（かみえちご）地方における郷土文化へと再編成する必要が
あるのです。そして、文化における地域主権を実現することをモデル事業とし
て提案する必要がありました。こうして、わが NPO 法人頸城野郷土資料室は設
立されました。

2．活動の内容 —人の地産地消—

　本 NPO 法人の第一の課題は、後継者を失いつつある民俗文化、遺失や損壊の
著しい郷土の文化財を保護し、それらに関する基礎資料・研究資料を収集し整
理することです。それをもとに地域市民を主体とする読書会、講演会、展示会、
見学会、フィールド調査など、様々な文化運動を企画ないし支援することです。
主な部門としては、地域事業部・教育事業部・民俗調査部・学術研究部があります。
上記のうちで最も力を入れた事業は教育事業部に関係する活動であり、郷土文

化に根ざした教育事業「くびき野カレッジ天地びと」の実施でした。

　本カレッジは、頸城野で研究し、あるいは頸城野を研究する教育者・研究者・実業者（経営者・職業人）に講師を依頼してきました。地元での就職希望者にはとくに有益となるよう生活文化のカリキュラムを編成しました。本カレッジで学ぶことにより、郷土における就労や生活において〈明日からの目的意識が明確になる〉、そのような郷土人育成を目指してきたのです。頸城野で生まれた産物を頸城野で流通させ消費する〈地産地消〉の、いわば人間バージョンといえます。地域で育成し教養をつんだ人々が地域で活動し地域に奉仕し、そして地域をリードするのです。その地域的サイクルにおいて動力源となり潤滑油となる覚悟で、本事業を運営してまいりました。2023年5月で460講座達成！

3．本事業の展望 ―プロジェクト・チーム―

　本事業は、対象地域である新潟県上越市が推進している「都市再生整備計画・高田雁木通り地区」（2006年度〜2010年度）に対応して構想されました。当時、上越市は、同計画の目標として城下町高田の歴史的資源を活かした地域活性化を掲げ、「まちなか回遊観光」を掲げておりました。それに対して本事業は、それと呼応するかのように「頸城人の郷土定住」を掲げたのです。外発的な賑わいと内発的な活性化、双方ともにあってこそ、相乗効果が期待されると判断したのです。

　そのような構想を実現するための具体的な目標として、本事業では以下の3点をたてました。①頸城野における地域コミュニティの創成、②NPOないし非NPO諸団体、および地域住民との具体的な課題を通じての連携、③上越市をこえて全県ないし全国的な規模で妥当し採用されるモデル事業化。

　まず①ですが、これまで官民いずれにせよ地域づくりには合理的な縦割りの傾向がまま見られました。産業振興は産業振興、福祉は福祉、観光は観光、といった具合です。それは合理的なのだからメリットはあるでしょう。これを企業形態にたとえてみると、最高経営者のすぐ下に製品別あるいは地域別事業部などを設けた事業部制組織です。それらがもつ縦割り的欠点を補強するのに、横断的な取り組みであるプロジェクト・チーム制が登場しました。これは、たとえば新製品の開発のようにある特定のプロジェクトを遂行するために、一時的に既存の各部門から、それぞれの分野の専門家が集められて形成される組織構造を指します。本事業は、このような諸団体・諸部門のプロジェクト・チーム的

な参加をもって上越市における地域コミュニティの創成に寄与できることを指針としました。

　次に②ですが、教育事業である本事業は教室での授業を基本形態とします。その際、初年度（2010年）は本町6丁目の町家交流館「高田小町」、仲町6丁目の「大鋸町ますや」、そして御殿山町の「アトリウム御殿山」を主な教室にあてがいました。同時に、上越市仲町6丁目、本町6丁目、大町5丁目を取り囲む地域にコミュニティ創生支援モデル事業の基盤を構築する構想を持ちました。

　最後に③ですが、産物のみならず市民・住民の地産地消を目標とする本教育事業は、講師として関東圏諸大学の専門研究者のみならず地域の匠たちをお迎えしました。さらには、地域の商店街活性化まで意図して立案された本事業は、全国いずこの〈郷土〉にも適応できる普遍性を兼ね備え、いわば〈頸城野モデル〉として全国各地に応用されることを設計図に盛り込んだのです。こうして、本事業の実施により、天地人（天の恵み・地の利・人の知恵）が調和を保つ郷土が実現し、「地域で楽しむ・地域を楽しむ」市民が確実に数を増すことを期待したのです。継続は力なり、2022年には450講座を超える実施回数を誇るに至っております。

4．山間部での水車発電 ―もう一つの地域社会活性化―

　さて、本NPOでは設立当初、上越市に対し、全国の地方自治体に先駆けて、以下の課題を期待しました。1. 環境問題においては、域内におけるカーボンオフセット・カーボンニュートラルの促進。2. 地域の産業に都市部の税金を投入するというデカップリング政策。3. 文化における地域主権の確立。4. 住民発電によるグリーン電力の普及。5. 先に献立ありきでなく、その日に採れた食材から食文化を築く頸城野地産地消の進展。その課題中、本NPOは、とりわけ水車発電（小水力発電）プロジェクトに取り組みました。

　なぜ水車発電なのか、ということですが、上越市域は多くの山間部を含みます。そこではマイクロ小水力発電（ダムなどでなく自然の流れでの水車発電、出力100KW以下）が有効です。かつての山村に多くみられた水車の発電転用です。これは無尽蔵の水資源を有効に利用し、環境を破壊することも滅多にありません。また、過疎地での電力供給だけでなく、伝統技術の継承にもつながります。こうしたエネルギー自立を支援することで、ひいては過疎地域の人々がそこに生きていく意志と希望とを再構築できるようになればなによりです。

上越市内の山間部には、いわゆる限界集落と称される地区が散見されます。とはいえ、そこに暮らす人々は、都市部の住民が想像するほどには落ち込んでいません。一部住民は、何か契機があれば地域に持続可能なシステムを構築したいと望んでいます。環境にやさしい自然エネルギーの活用は、都市部よりも山間部での方が適しています。それを手段にして過疎地の活性化を望む村人はたしかに存在しているのです。私たちのプロジェクトが提案する活動は、地域の自然・伝統文化資源を活用し、中山間地における生活基盤（エネルギー）づくりや都市住民との交流を促進することにあります。参考までに、実際に水車発電を開始するまでの経過を記します。電気・建築・土木関係の地元プロジェクト・チームと東京電機大学理工学部との連携で実施したものです。

・2011 年 4 月 8 日、上越市西山寺の桑取川沿いに水車発電候補地を調査。落差 6 メートル、水量毎秒 30 リットル以上、発電量 500 ～ 800W 程度と見積もり、適地であることを確認。地元企業（清水組ほか）の協力を得て、水車発電小屋を建設。
・12 月 4 日、水車発電システム〔電大小滝号〕現場で発電システム構築作業終了。
・12 月 15 日、西山寺で水車発電の作業を行い、電気点灯。とりあえず、小屋内の証明に用いるほか、クリスマスのイルミネーションに使用。
・2012 年 4 月 13 日、西山寺の水車発電現場で、バッテリーとチャージャーをセット。これで発電＋充電が可能となった。とりあえず、200 ワット、90 ボルトで常時安定させ、その後パワーアップの実験を繰り返す。
・6 月 10 日、西山寺の水車発電現場で、東京電機大学理工学部の学生数名が水車発電システムを点検。その後夕刻より西山寺の町内会館で「竹の子会」と称する村人の食事会があり、プロジェクト・チームおよび東京電機大学関係者が参加。
・2013 年 8 月 9 日、東京電機大学生たちによるメンテナンス実習
・2014 年 8 月 8 日、2010 年から継続してきた水車発電の試験的運用を終了。安全確保のため水車発電システム〔電大小滝号〕を撤去。

5．地域＝郷土概念の創出

　まとめとして、〔21 世紀の上越スタイル〕の基礎となる地域＝郷土概念に言及します。『頸城文化』創刊号（1952 年）に「郷土史研究の態度について」（伊東多三郎）が掲載されました。この論考は、郷土を中央に対する地方としてでは

なく、自立した社会経済的環境と歴史文化的環境とを有する圏域として主体的実践的に把握しなおすことを求めています。この構えから議論を進めるならば、地方という概念と違って、郷土という概念には中心もなければ辺地もありえません。例えば頸城野を郷土とする私たちは、この地ですべてを受け止め、また、この地に立ってすべてを見通してきたのです。頸城野に生まれ育った者と、この地に根を張って生きるようになった者は、頸城野を郷土とするのです。ここに生きる者たちは、環日本海を介して、否が応でも世界史の現場とダイレクトに接触してきたのです。

　NPO法人頸城野郷土資料室の設立趣旨書には、「郷土」について以下のように記されています。「これまで幾世紀にわたって、字（あざ）単位で形成されてきた頸城各地の郷土文化を、文字通りの意味での上越後地方における郷土文化へと連合する運動、すなわち〔頸城野文化運動（Kubikino Culture-Movement KCM）〕を開始することが肝要と思われる。この運動は個性あふれる地域文化の連合・再編成を目指すのであって、中央的な文化への統合ではあり得ないし、いわんや単一文化への融合（地域文化の切捨て）ではあり得ない」。この設置理念は、2023年の現在も新鮮に響きますし、それを〔21世紀の上越スタイル〕というテキスタイルを紡ぎだす理念としたく思っております。今後の具体的な活動としては、民俗文化や歴史的建造物を文化財として保護し、それらの基礎資料・研究資料を収集・整理し、後世に引き継いでいくことに努めていきます。

町家の店先で文化講座。「近代地域文化としての"バテンレース"―頸城野を織りなす―」／高田地区（石塚正英撮影）

上越地方の庚申信仰と庚申塔
新潟県石仏の会上越支部

栗間啓志 KURIMA Keizi

1. 青面金剛像との出合い

昨秋、「石仏見学コース」の下見調査として、糸魚川市根知地区を会員と巡検の際、秋晴れの日差しの中に堂々とした出で立ち姿で目の前に忽然と現れたのが「青面金剛像」でした（写真1）。一般的に「石仏」の像容には、如来や菩薩のように静謐感が漂うものが多いが、この青面金剛像はそれとは全く異質なもので、髪の毛は焔のように逆立ち顔は憤怒相、腕は六臂で右側に剣、弓、三叉矛を、左側には、弓、宝輪、更に上半身裸の女人（ショケラ）の頭髪を此れ見よがしに握り締めています。

足元を見れば、妖怪な邪鬼を踏みつけ、雄・雌の二鶏と、「見ざる・言わざる・聞かざる」の三猿を従えて、まさに威圧感に溢れたものであり、石仏に似つかわしくない強い個性が深く印象に残りました。

写真1　青面金剛像
（筆者撮影）

2. 青面金剛像の探索

帰宅後も、糸魚川で出合った青面金剛像の鮮明な感動がいつまでも止まず、「もっと青面金剛像に出合いたい…」そんな思いに駆られて、上越地域にも有ろう筈の青面金剛像の探索に、春を待って一人出掛けることとしました。

先ずは身近な柿崎区と浦川原区を対象に、町史や村史などの参考資料を手掛かりとして所在の目途を得たうえで出立しました。しかし、そう簡単には出合うことが出来ずに長い時間、深い草藪の中を彷徨しながらやっと見つけ出したときには、ホッ！としたと同時に深い満足感に満たされました。参考文献に拠ると、上越地区の頸城全域には明治の頃、七百余基の庚申塔（青面金剛像・庚

写真 2
柿崎区の青面金剛像
（筆者撮影）

柿崎区下灰庭新田　　柿崎区北黒岩　　　柿崎区芋島

柿崎区米山寺　　　　柿崎区猿毛　　　　柿崎区上中山

柿崎区下牧　　　　　柿崎区下牧　　　　柿崎区水野

浦川原区東俣　　　　浦川原区小蒲生田　　浦川原区中猪子田

写真 3
浦川原区の青面金剛像
（筆者撮影）

浦川原区有島　　　　浦川原区蕨岡鳥越　　浦川原区山崎

申文字塔・猿田彦大神）が数えられたとのことですが、延べ一週間ほどの探索で私が出会うことができた青面金剛像は、柿崎区で九基（写真2）、浦川原区で六基（写真3）に過ぎませんでした。無論、往時から見ればそれらは全体のほんの一部に過ぎません。おそらく、その大半は近年の道路拡張や過疎化・廃村などにより散逸消滅したものと考えられます。しかし、最も大きな理由は、庚申塔を支えてきた地域住民による「庚申信仰」が時代の変化と共に廃れてきたことであることは明白でしょう。

３．庚申信仰と庚申講

　この教義は、中国の伝統宗教「道教」に起源をもつ庶民信仰です。人間の体内には「三尸（さんし）」という "虫" が潜んでいて、六十日毎に廻ってくる庚申の日の夜、寝ている間に体内を脱し昇天して天帝に本人のすべての罪過を告げるのです。その内容によって天帝は、本人の寿命を縮めたり、あるいは死後に地獄・餓鬼などへの裁きを課すと信じられていました。

　従って、このはたらきを制して健康長寿を得るために、三尸の "虫" が天帝に告げることができないように、庚申の日の夜は近しい人達が集まり、庚申像（掛軸）を飾って燈明を灯し、皆でお経を唱えて食事をとったり、歓談しながら徹夜をして翌朝を迎えるのです。また、庚申信仰は「作神」をも包摂し、農業を生業とする地域の人たちにとって五穀豊穣を祈願する信奉は掛け替えのないものでした。

　これらの勤行（ごんぎょう）による一連の習わしを「庚申講」と称します。

４．「庚申講」に基づく社会的背景の考察

　"講" によって、健康長寿を祈願することが一義的目的ですが、副次的には農村集落の人々の交わりを基にした親睦や人間関係が深められることに深い意義があります。

　言うまでもなく往時の農作業は、人手による共同作業が中心であり（田打ち・農業用水管理・苗代作り・田植え・稲刈り など）、"講" への参加は、すなわち仲間同士の絆を強め、更に "結い"（共同作業によりお互いの力を貸し合って助け合うこと）の基盤を下支えしていたのです。つまり、"講" に拠る仲間組織の一員として自ら加わることよって、農村集落に於ける永続的な生活維持が図られていたことに重要な意味を持つと考えられます。まさに仲間組織を離れては

明日の暮らしが保障されないのが往時の農耕社会でした。「庚申講」は、農村集落に於ける濃密な人間関係を実現していたのです。現に、青面金剛像の存在は、市街域よりも農村域に集中していることが何よりその証しと言えるでしょう。

5．〔21世紀の上越スタイル〕への課題

　現在、私たちが今なお目にする事のできる幾多の庚申塔（青面金剛像）の存在は、かつて上越地域の先人たちに、「庚申講」を基にした地域住民同士の結びつきと相互扶助の精神が深く浸透していたことを物語っているのです。

　しかし、現代社会では農業経営の近代化や農作業の機械化により、往時の農作業環境とは全く異なり、「庚申講」の役割は既に終焉を迎え、その復活はあり得ないでしょう。

　その一方、近年では家庭内暴力や虐待、非行、引きこもり、ストレスによる精神障害などの社会問題が深刻化すると共に、少子高齢化や核家族化を背景として、孤独死がニュースになるような非常に淋しい社会傾向となっています。

　こうした人間関係の希薄化が要因となる諸問題の発生に対し、歴史的に上越地域に広く根差していた、人と人が助け合い、お互いの心が通い合うような結びつきを再び掘り起こす、地域コミュニティの再構築が〔21世紀の上越スタイル〕に於いて何よりも重要課題ではないかと考えられます。

à la carte

追分地蔵、木田新田
（石塚正英撮影）

あわゆき組のこれまでとこれから

坂下尚之 SAKASHITA Naoyuki

1. あわゆき組の始まり ―高田の風情ある町家への想い―

「高田の町家」の保存と活性化が話題になり始めた平成15年末から16年の初めにかけて、大町5丁目から本町7丁目の地元の皆様と、まちづくりに関心のある人が町家に集い、率直な意見を交換する中で、町家公開の試みが始まりました。歴史ある雪国・高田の町並みは、今も連綿と続く雁木と町家が一体となり、その懐かしい雰囲気を色濃く伝えています。

「こんなに古き良きものが残されているのに、それを生かさないのは勿体ない。」
「時流に流されて、どこにでもある地方都市に変わり果ててからでは、手遅れ。」
「ここに暮らしている私達自身が誇りに思うまちを、子供達に伝えたい。」

そんな想いが実を結び、平成16年秋の「城下町高田・花ロード」で「あわゆき組」が誕生しました。

平成16年秋の「城下町高田・花ロード」では、旧麻糸商「高野商店」をお借りして、甘味処「あわゆき亭」を開店。着物姿の女性たちが、懐かしい「和」の雰囲気を演出し、大勢のお客様に町家の雰囲気を味わって頂きました。

平成17年2月には「あわゆき道中」と題して、懐かしい防寒具である角巻と雪下駄姿で雁木のまちを練り歩き、折からの吹雪に雁木の役割が身に沁みました。この角巻などは、県内一円から寄付していただきました。また地元大町小学校の総合学習に貸し出して、次代を担う子供達が体験しました。観桜会では人力車の誘致を提案して、その実現に漕ぎ付け、旧武家屋敷「無量庵」にて春のあわゆき亭も大評判でした。

まち（都市）とは、人が訪れて人々が交流することからその素晴らしさが広がっていくものです。そんなまちの素晴らしさと心地よさは、自然や人とのつながりを大切にしてきた雪国の人々の歴史に支えられています。そこにいるだけで、心の休まるスローライフの空間。

中心市街地がカラッポになってしまう前に、まち歩きの楽しさやコンパクト

シティの便利さを見直し、歴史ある町の魅力を多くの人々に実感してほしいと願っています。

２．あわゆき組の活動記録 ―平成 16 年から平成 21 年―

平成 16 年 6 月、町家の 2 階座敷にて

高田旧市街を中心に、まちづくり、町家に関心のある人々が集結し、率直な意見交換の中で、町家公開（オープン町家）の試みを語り合いました。

その席上「秋の花ロードで甘味の休憩所をやりたい！」と第一声。「お店の名前はもう、決まってるのです。あわゆき亭」とアイの手。即座に、初対面の女性達から「ぜひ一緒にやってみたい。」と強い手応えがありました。

男性陣から「こういうことは女が得意。男は裏方で支えるものだ」と支援の声。ご意見番紳士の「それで何ができる？お手並み拝見だな。」と辛口の叱咤激励をいただきました。

平成 16 年 10 月、第 6 回城下町高田花ロードで「あわゆき亭」デビュー

場所は旧麻糸商「高野商店」をお借りしました。

豪快な吹抜けと庭先の縁側、土間の台所。週末の 2 日間で 500 名の方に懐かしい町家の雰囲気と甘味を味わっていただきました。着物にタスキ・前掛姿のあわゆき美人たちが、懐かしい「和」の雰囲気を演出して話題に。

また、蚊帳を使ってアレンジした出展作品も花ロード賞をいただきました。

平成 17 年 2 月、レルヒ祭で第二弾企画 「あわゆき道中」

懐かしい防寒具「角巻」やとんび・雪下駄で雁木のまちを練り歩きました。折からの吹雪にその役割が身に沁み、その風情にアマチュアカメラマンも殺到。

明治初期の町家を公開見学していただき、お茶と漬物・水羊羹などで道中お休み処を設置。

あわゆき組のオリジナル絵葉書 4 種を制作発売。ここで、「自分自身でも買いたくなる、高田のまち風景の絵葉書が欲しい！」と、あわゆき組のオリジナル絵葉書 4 種を制作して発売したら、人気沸騰。以降、四季の絵葉書 20 種類が揃っています。

一枚 150 円で販売中。ほのぼのイラストは「ひぐちキミヨ」作。

平成 17 年 4 月、観桜会に勢い止まず、第三段！ 無量庵「あわゆき亭」

西城町の旧武家屋敷「無量庵」にて春のあわゆき亭も大評判となりました。雪解けとともに始まる花見の賑わいに、まちの魅力も広がっていきます。

飛騨高山・観光人力車の誘致を観光コンベンション協会に提案し、実現に漕ぎ付けました。

平成 18 年 2 月、2 回目の「あわゆき道中」

吹雪の中で決行、雪国情緒もたっぷり！

久々の豪雪で、道路通行止めの「一斉雪下ろし」もあり、雁木の役割を再認識。

平成 18 年 8 月、町家にて「あわゆき読みかたり」開催

本町七丁目の「きものの小川」にて、二階の座敷と吹抜けを舞台に素敵な読みかたり。吹抜けと渡り廊下で、ドラマチックな世界で読みかたりを演出しました。

平成 18 年 11 月、富山県高岡市の市民グループ「RACDA 高岡」の一行

55 名が高田を訪問。路面電車万葉線の保存運動からまちづくりを考えるグループで、高田の町家と活動を紹介し、他の都市との交流が広がりました。

平成 19 年 2 月、3 回目の「あわゆき道中」を実施

少雪で春のような道中でしたが、長岡・高岡からも参加！

平成 19 年 4 月、観桜会で 3 回目の「無量庵・あわゆき亭」

越後高田町家三昧と協同で町家グッズとしてオリジナル手拭企画発売。オリジナル手拭 2 色、粋な前掛けと座布団も販売。

平成 19 年 8 月、高田小町にて「あわゆき読みかたり」

改修された町家界隈の拠点　町家交流館「高田小町」で和やかに読みかたりを実施しました。

高田小町の吹抜けと露地の鬼瓦オブジェ、きもの姿が映える空間でした。

平成 19 年 10 月、第 9 回花ロードで 4 回目の「花ロード・あわゆき亭」

さわやかな秋晴れの二日間、お客様も大勢こられました。雁木ねっとわーくのオリジナル企画商品地酒三昧がデビュー。高田小町も賑わいました。

平成 20 年 2 月、4 回目の「あわゆき道中」

角巻もとんびもたくさん寄付していただき、予約なしの当日受付で実施できるようになりました。

平成 20 年 4 月、4 回目の「無量庵・あわゆき亭」

満開の桜とお花見客で賑わう高田公園から僅かな距離ですが、無量庵は優雅な気配に満ちていました。今回は甘い物好きの発想で「あんぱん三姉妹」を限定発売。可愛いイラストであっという間に完売でした。

平成 20 年 8 月、あわゆき和の市・読みかたり＆町家三昧

「あわゆき和の市・読みかたり」、夕方からの町家三昧夏の巻では、高田小町のバーが大繁盛。雁木通りのほのかな行灯のあかりの中、夜の町家で様々なイベントが続きました。

平成 20 年 10 月、第 10 回花ロードで 5 回目の「花ロード・あわゆき亭」

今秋の花ロード・あわゆき亭・町家コンサート・高田ごぜ作品展は、お天気も良くて、多くのお客様にお越しいただきました。

平成 21 年 2 月、5 回目の「あわゆき道中」・越後高田町家三昧

積み上げた角巻やトンビ、マントも 100 着以上。回を重ねるほどに雪国の暮らしの重みをずっしりと感じます。

3．あわゆき組のこれから

平成 16 年から始まった活動は、約 15 年ほど年に 4 回の企画を継続してきたが、近年のコロナ禍以降、イベントを企画しては中止を繰り返した。

ちょうどその頃、上越教育大学の先生から「学生を骨太な先生として送り出したい。そのため、あわゆき組に協力して欲しい」との依頼を受け、三密を回避しながら実施できるあわゆき道中を共同で企画した。タイトルはあわゆき道中―分身ロボット OriHime で町家探索―である。

三密を回避したイベントとしていたが、関連企画の瞽女の門付け再現の中止を受け、実施には至らなかった。

しかし、このような新たな出会いは組員のモチベーションの維持に繋がった。

令和 5 年 2 月 4 日に 3 年ぶりのあわゆき道中を実施した。企画の PR は SNS を中心としていたため、参加者が多く集まるか不安であったが、当日は 30 名程

度の参加があり、ほっとした。

　当日は7～8年前に、「くびきのみんなのテレビ局」でお世話になった方にお会いし、他にも、新たな出会いがあった。

　地元の大町小学校の女子生徒が2人で参加してくれた。「どうして参加してくれたの？」と聞くと、「お母さんが、こういうイベントがあるから参加してきなさい」とのことであった。大町小学校の生徒は、総合学習で雁木や町家の学習をしており、学習の延長線上であわゆき道中に参加してくれていることに嬉しく感じた。

　今回のあわゆき道中のテーマは「雁木で干した大根を食べる編」とした。この企画を考えたきっかけは、ある出会いであった。

　柏崎から車で来た70代の女性3人に「雁木に干してある大根を見に来たが、どこか？　干している様子を夕方のTV番組で放送していて、ぜひ見たいと思ってやって来た。」と声をかけられた。

　女性たちの車に乗せてもらい大町5丁目まで案内をして、大根が干されている現場まで案内した。今井染物屋、瞽女ミュージアム、高田世界館、高田小町

なども案内した。道中で大町5丁目界隈の人と出会い、何気ない会話だが柏崎からの来客者は大変満足されお帰りになった。その翌日、ご丁寧に感謝の電話までしてくださった。

　話が脱線するが、このような雁木通りを歩きながら地元の人と何気ない会話をすることが一つの観光スタイルになるのだろうなぁと感じた出会いであった。

　柏崎からの来客者との出会いが私の中で強烈に残っていたため、今回のあわゆき道中は、雁木で干した大根を食べてもらってはどうか？　と考えた次第である。また、この大根を食べる企画は参加者にも受け入れられたため今後も継続して行きたい。

　また、今回はSNSで情報をキャッチした20代から30代の比較的若い参加者も見えた。古いものが好きだったり、写真が趣味とのことであった。このような人たちに入会してもらい今後も継続して行きたいと考えている。

　あわゆき組は、雁木町家や雪国の暮らしの楽しさを伝える活動を行ってきた。その精神は今後も変わらないが、表現方法等は少しずつ変えながら、世代交代を図りつつ継続していきたい。

　また、これまでの約15年間の蓄積は、まちの観光の一端を担えるものと考えており、このまちを訪れる人をおもてなしできるよう、来るべき時に備えておきたい。

平成 18 年のあわゆき道中

平成 21 年のあわゆき亭

平成 25 年のあわゆき読みかたり

AI なんかに負けてたまるか！
～ 22 世紀を見据えた地域史研究家を目指す～

湯本泰隆 YUMOTO Yasutaka

1.「ながおか史遊会」ができるまで

　21 世紀も 10 年過ぎてしまった今、IT 技術の急速な発達は、郷土史研究の分野にも影響を及ぼしています。GPS 普及のおかげで、誰でも容易に座標軸で所在地がわかるようになりました。災害などによって大幅な変更が生じてしまう可能性があるリスクがあるものの、石造物の表記も、従来の所番地表記から、GPS による座標軸の併記などの可能性もでてきました。2022 年、グッドデザイン賞に「みを：AI くずし字認識アプリ」が選ばれました。古文書解読技術としては、まだまだ改良の余地はあるものの、一昔前まで、歴史家にとって必要な技術だったくずし字や古文書などを翻刻していく作業というのは、今後 AI が担うようになっていくと思われます。

　また、路傍や寺社にある庚申塔や道祖神などの石仏・石造物をフォトグラメトリ（SfM/MVS）で 3D モデル化してアーカイブ化する取り組みや、歴史的建造物をメタバース上に再現させた「デジタル ツイン」といわれる技術も登場してきました。このような技術が発達すれば、今後は、例えば現地に直接足を運ばなくても、かなりの精度で、デジタル上に再現された史跡や遺物などの有形文化財に触れることができるようになり、将来的にはこれらを活用した論文のリサーチなどを進めていくことができるようになるかもしれません。実際、筆者の住んでいる長岡市では 2019 年以降、九州国立博物館・大塚オーミ陶業株式会社と協力して、実際の火焔土器などをデジタルスキャンして 3D データを作成、オープンソース化し、誰でも自由に利用できることを目的とした『縄文オープンソースプロジェクト』を進めています。

　このように、今まで郷土史研究家が汗水垂らして足で稼いできた文字情報、視覚情報などを元にして論文作成されたものが、ビッグデータとして集積され、活用されることによって、精密なデジタルコンテンツとして存在するようになっています。また、無料や安価な利用であるにもかかわらず、かなり精度の高い

編集ができるアプリの登場などによるクオリティの高い動画編集技術の普及や、デジタル書籍の市場の拡大などによって、誰でも今までより簡単に、自分の研究を世の中に発表できるようになりました。すごい時代になったと思います。

とはいえ、これらの技術は、従来の郷土史研究家たちが蓄積してきた膨大なデータの収集を合理化し、効率的に収集・整理をしてはくれるものの、いままでの郷土史研究家に取って代わる存在ではありません。過去の出来事を効果的にビジュアル化し、「過去に何があったのか」「どのような人たちが、どんなふうに暮らしていたか」といった情報をわかりやすく提供してくれる、そのことにより、「郷土史」や「歴史」といった一見難解なイメージのものに親しみやすくする、そのような仕組みを作ることに役立ちそうです。そのように考えたとき、AIなどのIT技術によって集められた情報を整理・統合し、地域の歴史変遷を再構築していくうえで、まだまだ生身の郷土史研究家が果たす役割は大きいのではないでしょうか。むしろ、より一層、生身の人間である研究家に果たされる役割は大きいのではないでしょうか。

2.「ながおか史遊会」の取り組み

さて、筆者は2014年に、地元で「ながおか史遊会」という市民団体を立ち上げました。これは、郷土史や歴史の分野以外にも様々な分野で活躍されている市民が定期的に集まり、長岡の歴史・風土・言語を軸とした地域の文化について学び、その学びや繋がりを元に、世の中に対して、新しい価値を提供していくことを目的に活動を続けている任意団体です。当初は、FaceBookなどのSNSで学習会の周知と参加メンバーの募集をかけ、入会金も年会費も取らない、組織化しない、ゆるい学習サークルとしてのスタートでした。

ながおか史遊会は、「わかりやすさ」から任意団体という形をとっているものの、一般的に考えられやすい既存の団体とは性質が異なります。複数の人間ががっちりと集まったグループというよりは、むしろ個と個が緩く繋がりを持ったネットワークといった方がより実情に近いと思います。

それは、SNSという比較的個々の結びつきの方が大切にされるメディアから産声を上げた存在なので、必然的にそうなるのです。そして、この集まりでは、必要な人が、必要なプロジェクトを立て、そこに必要なメンバーを募り、共同で学び合い、新しいものを作り出しています。いわば、従来型の固定的なコミュニティではなく、かなりゆるいコミュニティとなっています。

2018年には、新潟市を中心に活動を展開している「にいがた史遊会」、そして、2019年には、十日町や魚沼地域を中心として活動を展開している「ゆきぐに史遊会」が誕生し、それぞれ個性的な代表の下で、いままでの軸にとらわれない、全く新しい形のソーシャル・イノベーション型の活動を展開しています。

　近年では、新型ウィルス禍において、ながおか史遊会としても、大きな方向展開をせざるを得ませんでした。それは、Zoomなどによるオンライン会議アプリを用いた学習会の一律オンライン化です。これまで学習会の告知に関しては、SNSなどの告知以外にも紙媒体によるメディアも活用していました。そのため、ネットにあまり詳しくない方でも、この学習会には多数参加してもらっていたのです。ところが、まん延防止等などの影響で、それまで会場としていた自治体の施設が利用できなくなり、止むを得ずの一律オンライン化でした。このことによって、オンライン化の波についていけない参加者を切り捨てることになるという、心苦しい選択をせざるを得ませんでしたが、一方で学習会をオンラインでやることによる強みにも気が付きました。それは、講師の選定も参加者も、地元からではなく全国各地から募ることができるようになったということです。

3.「ながおか史遊会」の今後

　今後は、オンラインとリアルでの開催を同時に行えるようになるハイブリット型の学習会の実現に向けて動き始めています。また、YouTubeを主要メディアとした動画コンテンツの制作・公開も始めています。当初は、地域の史跡や景色などをシンプルに音楽とともにあげていただけのものでしたが、ここ最近は、歴史に関連するもののみならず、様々なジャンルのものを制作しています。この辺りも今後統合していきながら、SNSと連動させた集客率の高いコンテンツにしていきたいと考えています。

　戦後、全国各地に郷土史研究会が立ち上がり、それぞれの地域独自の発表ルール、刊行などを通して、地域の歴史的な情報の蓄積や独自の研究などが進められてきました。一部ではそれぞれの地域を超えた交流や情報の交換がなされたものの、遠方同士での地域間交流となるとなかなか難しい時代でした。結果として、地域のごく限られた同好の士が集まって勉強し合うような、狭いコミュニティで終わってしまう場合がほとんどでした。それが今やメールやSNS等の普及で、北海道から沖縄まで、容易に専門家と意見交換を交わせる時代になりました。これにより、地元の歴史研究の成果を地域外の人々にも容易に発信す

おなまえ　　　　　　　　　　　　　　　様

（　　　才）

ご住所

メールアドレス

購入をご希望の本がございましたらお知らせ下さい。
（送料小社負担。請求書同封）

書名

メールでも承ります。　book@shahyo.com

書名

ることができるようになり、また地域外からも仲間を募り、コミュニティの仲間を得ることができるようになっています。

　関わる仲間を増やすことによって、コミュニティ自体の規模も大きくし、多様性を持たせることで、ただの勉強仲間以上の繋がりや結びつきができるようになるはずです。様々な視点、能力を持った仲間たちと、文字によるもの以外にも新しい制作物や催し物なども企画し、世の中に発表していくことで、さらなる地域の発展や仲間たちの生活の質の向上に役立つと考えています。コミュニティ自体を世代間交流の場にし、常に若い人たちが参加しやすい空気を創り出せれば、現在多くの歴史系コミュニティが直面している高齢化、人手不足、後継者不足による休会や解散などといった問題も解消できるはずです。

　この原稿執筆時点の2023年2月時点でも、ChatGPT が公開されるなど、IT の世界ではどんどん技術革新が起っています。この原稿が上梓されることには、現時点では全く考えも出来ないような、新しい技術が登場しているかもしれません。これからの地域史研究家は、IT 技術の恩恵を積極的に受けながら、より多くの人たちを巻き込んで、自分たちの暮らす地域のみならず、外部へとより積極的に情報を発信してゆく技術を身に着けていく必要があるように思います。そして、ディープラーニングによる反復学習しかできない AI とは別に、創造性を持った我々は、独自のアイディア、切り口から地域の歴史を考え、それらで得た情報を基にした様々なプロダクトや情報コンテンツを生み出し、かつ発信する"地域文化の総合ディレクター"になるべきです。

<hr>

コラム：用語説明

<hr>

■雁木（がんぎ）：街路に面する町家の出入り口に雪除けとしてかけられた支柱付きの軒庇であり、その軒庇が連続している通りを雁木通りという。特に、戦災の被害を免れた高田藩の城下町（高田地区）には多く残る。

<hr>

■瞽女（ごぜ）：三味線を携えて瞽女歌を弾き唄う盲目の女性旅芸人。高田藩時代はその保護を受けて職業集団（座）をつくり、各地の農村を回って門付けした。作家の水上勉はこの瞽女たちに注目して1975年に小説『はなれ瞽女おりん』を発表し、映画化もされた。

弥生古代米たわわに
（高野恒男撮影）

懐かしの妙高号と脇野田駅
（松井隆夫撮影）

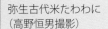

名立魚市場／名立区
（石塚正英撮影）

久比岐自転車道路サイクリン
グ・ロード、徒歩もよし
（石塚正英撮影）

直江津祇園祭
（磯田一裕撮影）

灯火の回廊／牧区
（松井隆夫撮影）

III

地域文化の記録と記憶

上越市三和区の古代史，魅力再発見‼
三和区井ノ口所在、「才光寺遺跡」出土遺物の歴史的意義

中嶋紀子 NAKASHIMA Noriko

1．はじめに

　2005 年 1 月、旧上越市と周辺の 13 市町村と合併した現在の上越市は、新潟県内でも遺跡の多い市として知られています（2022 年 2 月 26 日現在、新潟県への登録遺跡数：1,591 遺跡）。その中でも特に、日本の歴史上、一般的に「古代」と呼ばれる時代区分（飛鳥・奈良・平安時代）に属する遺跡が多いと考えられています。

　本稿で取り上げる現：上越市三和区（旧中頸城郡三和村）の中にも多くの古代遺跡の存在が発見され、土地の開発行為以前に発掘調査されてきました。とりわけ、滅多にお目にかかることができないような遺物が出土した「才光寺遺跡」（三和区井ノ口所在）にスポットライトを当て、出土遺物の検討を通して考えられる歴史的事実とそこから生まれる新しい歴史像について少し考えてみたいと思います。

2．才光寺遺跡について（概要）

　遺跡の概要について、上越市教育委員会編集・発行『大野遺跡・才光寺遺跡発掘調査報告書』（2005 年発行）の記述を引用しながら説明します。

　才光寺遺跡は、上越市三和区井ノ口字二子原 1745 番地他に所在する遺跡で、2001 年 5 月から同年 7 月までの約 2 ヶ月間、2,728㎡の面積について発掘調査が実施されました。遺跡所在地には現在、特別養護老人ホームが建っています。

　発掘調査の結果、おおよそ奈良時代から平安時代の間に営まれた集落跡が確認され、「古代」の遺物が大量に出土した旧河道（川の水が流れる道筋）が検出されています。住居跡（当時の人たちが暮らした家の跡）は発見されませんでしたが、この地に当該期の中核的集落が存在したことが想定されると結論付けられています。また、遺跡名となった「才光寺」は、現在小字名で残ってはいますが、寺院として立地していた頃のことはあまり解明されていません。発掘

調査でも結果的に寺院跡は発見されませんでした。

3．出土遺物2点が語る歴史

　次に、才光寺遺跡発掘調査で出土した遺物の中で、ひときわ目を引く遺物2点を紹介したいと思います。

① 奈良三彩　短頸壷蓋片1点

　発掘調査された範囲の内、旧河道から出土した壷の蓋の破片です。実測すると、蓋の最大直径12.2cm、残存している最大高さは2.2cmとなります。

　「奈良三彩」とは、奈良時代に、唐三彩〔中国，唐前期（7世紀末～8世紀初め）に焼かれた白地に緑，褐，藍色などの釉で文様を表わした陶器。一般的に白色，緑色，褐色の3色の組合せが最も多い〕をまねて作られた日本最古の施釉陶器のことで、正倉院に三彩5点、二彩35点など計57点が現存し、正倉院三彩の名で知られています。

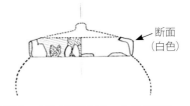

断面
（白色）

写真1：才光寺遺跡出土　奈良三彩短頸壷蓋片【上越市教育委員会所蔵】
図1：同実測図（中央線の左が外面、右が内面を表す、破線は想定線）
※写真撮影と作図は筆者

　遺物の特徴としては、白色粘土の素地に、緑釉（図1の斜線部分）・褐釉（図1の点部分）・白釉（図1の白い部分）が施されており、鮮やかな色彩は今もなおしっかりと残っていて保存状態も良好です。また、一般的な三彩陶器同様、緑釉が基調となっています。

　そもそも、三彩陶器を作る技術は、最も古く考えても、飛鳥時代後半頃の7世紀末までには、中国より日本列島にもたらされたと考えられています。三彩陶器を生産した窯跡は、日本国内では未発見となっていますが、奈良平城京の

官営工房で独占的に製作されたであろうと推定されています。用途としては、主に祭器（祭祀に用いる器具）として、国家や貴族が行う仏教儀式用の器として用いられたようです。特に「壷」は、高級な火葬蔵骨器として用いられたり、当時としては希少なものとして、特別な時にしか使用されなかったとされています。器そのものが、高級かつ大変貴重なものであったことが窺い知れるのです。

　新潟県内では、他に旧三島郡和島村八幡林官衙遺跡（古代古志郡の郡衙跡）から出土した奈良三彩椀蓋（8世紀中頃）が知られていますが、発見されたものとしては、才光寺遺跡のものと合わせて2例のみで、県内でも貴重な遺物であることが報告されています。

②「三宅」墨書土器片1点

　まず、この遺物には2つの魅力が存在します。

　1つ目の魅力は、墨書土器であるということです。「墨書土器」とは、古代の日本において、漢字などの文字や、道教の符号などの記号や絵を土器の表面に墨で書き記したものを意味します。また、他の土器と識別するために、墨で書かれた文字に独自の権威や魔力を有する意味があったとも考えられています。この墨書土器も奈良三彩と同じく、旧河道から出土しており、土器の種類としては、坏（飲食物を盛る器で、碗より浅く皿より深いもの）に該当します。大きさは、口縁部（器の口の部分）の直径13.8cm、高さ3.5cm、底部直径6.6cmを測ります。

　そして、2つ目の魅力として、底面に「三宅」の文字が書かれていることです。

図2：底部実測図

左：才光寺遺跡出土「三宅」墨書土器片【上越市教育委員会所蔵】
右：底部を拡大した写真
※写真撮影と作図は筆者

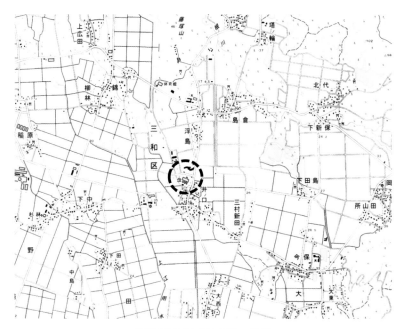

破線部分が才光寺遺跡の位置
〔国土地理院 2 万 5000 分の 1 地形図「高田東部」一部加筆〕

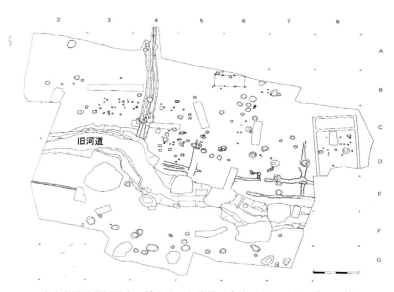

才光寺遺跡発掘調査で検出された遺構の全体図：図の中央が旧河道
〔上越市教育委員会編集『大野遺跡・才光寺遺跡発掘調査報告書』70 頁第 3 図一部加筆〕

「ミヤケ」とは、日本の古代における施設を意味する「ヤケ」に尊敬を表す接頭語「ミ」が付いた歴史用語（同じ意味で「官家」・「御宅」と表記される場合もある）で、古代大和政権に関わる施設を意味すると一般的に考えられています。つまり、大和朝廷が管轄する地域経営の拠点となる施設が「ミヤケ」なのです。

発掘調査報告書には、この遺物の胎土（土器や陶磁器を製作する際に原材料として使用された土）や成形技法、形態的特長から、頸城平野東丘陵に所在した古窯跡群（窯として用いられた遺跡群）で生産されたものであろうと報告されています。遺物の時期は、おおよそ8世紀後半から9世紀前半頃のものと考えられ、古代において使われていた器であることが分かります。

4．新しい歴史像（明日への展望）

遺跡と遺物2点についての簡単な紹介が終わったところで、今度はそこから見えてくる新しい歴史像について考えてみたいと思います。先に示した遺構全体図の通り、遺跡の中央には川が流れていたことが分かっています。当然、川を利用した物流があったことが想定できます。

日本国内で奈良三彩が出土する遺跡の主要な種類は、宮殿・官衙、寺院跡、神社、集落跡、墳墓、祭祀遺跡、城柵、古窯跡など様々あると考えられていますが、才光寺遺跡の場合は、このうち集落跡もしくは寺院跡に相当します。奈良三彩に関しては、主に畿内地域からの一元的な供給があり、奈良の平城京から陸路または海路、そして船で才光寺まで運ばれたことを想定することができます。また、「三宅」の墨書土器が存在することにより、井ノ口周辺地域の古代史において、政治的な支配拠点となる施設があったことの裏付けともなります。

実際、才光寺遺跡の三彩陶器がどのような用途で使われたとしても、奈良時代にあっては、三彩が持つ、鮮やかな彩りの陶器を必要とする仏教儀式を才光寺で行っていた可能性は高く、奈良の都と何かしらのつながりがある寺院であったことも想定できるでしょう。

また、ミヤケという重要な拠点施設があったことの背景を考えると、奈良時代の前代：飛鳥時代、古墳時代の頃から、当地域を支配する有力支配者層が存在し、稲作を中心とする在地的な基盤が形成されたであろうことも想像できます。

5．おわりに

本稿では、「奈良三彩」と「三宅」について取り上げましたが、このように、

遺跡から出土する遺物または遺構が、現代に生きる私たちに語り掛けてくれる歴史は、人の目に見えていないだけで、まだまだたくさん存在していると思います。そういった小さな歴史を一つ一つつなぎ合わせていくと、大きな地域の歴史像につながり、やがては、日本の歴史観をひっくり返すようなこともあるかもしれません。地域発の魅力の追求はまだまだ続きます。

6．謝辞

　本稿で使用した2点の遺物の写真撮影及び実測図作成において、上越市教育委員会湯尾和広氏に御協力いただきました。この場をおかりして御礼申し上げます。

【参考引用文献】

上越市教育委員会編集・発行『大野遺跡・才光寺遺跡発掘調査報告書』（2005年）

和島村編集・発行『和島村史』資料編Ⅰ自然・原始古代・中世・文化財（1996年）

齊藤孝正「日本の緑釉・三彩陶器の流れ」（『国立歴史民俗博物館研究報告第86集』2001年）

篠川賢『国造―大和政権と地方豪族―』（中公新書2673、中央公論新社、2021年）

高橋照彦「日本古代における三彩・緑釉陶の歴史的特質」（『国立歴史民俗博物館研究報告第94集』2002年）

高橋照彦「施釉陶器―その変遷と特質―」（『列島の古代史5専門技能と技術』岩波書店、2006年）

楢崎彰一「日本の三彩と緑釉陶器―祭祀的性格を秘めた正倉院、奈良三彩―」（『中国の三彩陶磁―付正倉院・奈良三彩―』太陽社編集、1981年）

コラム：用語説明

■**頸城**（くびき）：北陸から北方の日本海沿岸一帯を、古くは高志ないし古志と称していた。その域内にあって、現在の上越地方のことを頸城、久比岐と称した。「くびき」と読む。現在でも、上越地方を頸城野と称している。その「くびき」の意味は、要衝の地としての「頸（くび）」と境目としての「城・岐（き）」の合成とも理解できる。古代の頸城地方には大和朝廷に打ち負かされない文化をもった先住民や渡来人がいた。

■ **2005年に旧上越市（旧直江津市・旧高田市）と合併した旧13町村**：安塚町、浦川原村、大島村、牧村、柿崎町、大潟町、頸城村、吉川町、中郷村、板倉町、清里村、三和村、名立町。

頸北歴史研究会（けいほくれきしけんきゅうかい）

中嶋紀子 NAKASHIMA Noriko

1．仲間が集まる前に

　2016年4月3日、筆者は初めて上越市吉川区顕法寺に所在する上越市指定史跡「顕法寺城跡」に登りました。そもそも、自身の地域史研究活動の出発点が、日本の歴史上実に謎が多いといわれる「南北朝時代」にあったためです。

　地元頸城平野の歴史研究において、鎌倉時代から室町時代へ、時代の過渡期である南北朝時代の歴史が研究活動によって明確にされていない経緯がありました。そのようなモヤモヤの時代のことを何とかしていろいろと解き明かしたいと考えてまず見学に向かった先が、「村山文書」に登場する「顕法寺城」でした。

顕法寺城跡に立つ説明看板

2．仲間同士の勉強会、そして研究会発足へ

　吉川区顕法寺城跡見学の後、本格的に山城研究家、考古学者の仲間たち4人が集い、2017年4月新潟県指定史跡「直峰城跡」（上越市安塚区安塚）へ、さらには、上越市牧区「池舟城跡」（牧区池舟字庄司山）等、もっと足を延ばして、新潟県指定史跡「下倉山城跡」（新潟県魚沼市下倉字滝沢）も現地見学しました。

　山城に向かう目的は、第一に、歴史を研究する前に現代まで残された文化財の現地を自分の足で歩いて見ること。「現場を踏む」という段階を経ずして地域史を語ることはできないというのが仲間同士の共通理念であり、この考え方が以後の活動の原点となりました。

　研究会発足前の時点で、現場を踏む回数は、決して多くはありませんでしたが、現地見学前後の知識増強を通して、確実に様々な歴史認識を獲得していきました。

こうして、戦国時代ではなく、戦
国よりもっと昔の南北朝時代頃に機
能していたと推定される山城現地見
学会を通して、ごく稀な古文書の記
述との兼ね合いも考えながら、独自
の歴史研究のための不定期勉強会は
続いていきました。とにかく、上越
地域でメジャーな戦国史と一緒に、
ずっと昔の南北朝史を考えるわけで
すから、知れば知るほど、学べば学

安塚区直峰城跡にて

ぶほどに、未知のことばかりでした。同時に、各自が過去に見てきたもの、感
じてきたことに通じる認識が初めて歴史的につながったと感じる瞬間もありま
した。まさに、歴史は絶えることなく続いているのです。だからこそ、今まで
知ることのなかった新しい史実を追求していく面白さは確実に各自の中に存在
していたと思います。

　2019年〜2020年初め頃にかけて、2016年春以降続けてきた勉強会の成果もあ
り、南北朝時代からさらに遡って、弥生時代・古墳時代へと、各自の研究対象幅
が時代的に広がりました。今度は、山城の遺構を見る目を養うことから、地図に
表わされた地形を見る目を養うことに重点が置かれるようになりました。そこか
ら、弥生・古墳時代の文化財（主に弥生時代のお墓や高地性集落跡、古墳時代の
古墳や集落跡など）を新しく見つけることが主要な目的に変化したのです。

　ちょうどこの頃に仲間が1人増えて5人で活動を再スタートしたのですが、
各自日々の独自踏査により、上越市吉川区町田と六万部に所在する「町田古墳群」
（前方後円墳を含む古墳群）の新発見（2020年3月）につながりました。これ
はまさに、長年、「山」を知り尽くした仲間の大発見であり、新しい知識の研鑽
が積み重なった上での大きな出来事でありました。

　そこで、この出来事を世に出すべく、私たちメンバー5人で、新たに「頸北
歴史研究会」を結成して、本格的に研究会としての活動を始めたのですが、会
のネーミングに関しては、これまでの踏査範囲が主に頸北地域であったことを
考えて、頭に「頸北」を入れることにしました。ですが、今改めて振り返って
みると、研究会の名称決定の後に、糸魚川市内へ古墳探しに出かけた経緯があ
り、頸北から対象範囲がさらに広がって、頸城平野全体にまで対象が拡大した

気がします。新たな歴史認識獲得のために自ら進んで行動し突き進む楽しさは、年齢に関係なく、老若男女、誰でも味わえることなのです。

　町田古墳群については、古墳の基本情報を把握するべく、5人で協力して、古墳が所在する場所の地権者探し、木材の伐採と古墳周辺の整備許可取り、古墳の平板測量調査、町田町内会と住民への説明会開催などを実行しました。個人の集まり会から、正式に「研究会」を結成したことで、新聞やラジオでも私たちの存在を知って頂く機会も増えました。

　本来ならお役所仕事と思われるような一連の過程を、民間の素人集団が古墳群の情報発信のために動いたことについて、たくさんの方々のご協力とご理解を得ながら、一つの地域貢献・社会貢献と捉えながらおこなったことが、現在に生きていると感じます。

3．新たな出会いと踏査対象の拡大

　町田古墳群の発見の翌月2020年4月5日・6日、新潟日報で「新潟市西蒲区角田浜で前方後円墳新発見」の記事が大々的に報道されました。「角田浜妙光寺山古墳」と名付けられた前方後円墳の存在がテレビ・ラジオ等で報道され、2020年は町田古墳群の発見と併せて、まさに古墳yearとなりました。新潟県内の2つの地域でほぼ同時期に、前方後円墳という同種の文化財新発見であったこともあり、角田浜妙光寺山古墳の調査に携わられた「文化財保存新潟県協議会」との情報交換や連絡のやり取りも始まり、お互いのメンバー同士による現地見学会も実現して、同じ目的に向かって進む仲間たちとの新たな出会いが生まれました。

2021年3月13日　新潟市西蒲区角田浜妙光寺山古墳の現地へ

文化財保存新潟県協議会第 21 回大会（2020 年
11 月 23 日新潟市内で開催）では、「前方後円墳
新発見！─角田浜で、頸城平野で、あなたの町で─」
のテーマの元に、約 200 人の古墳愛好者が入場し、
新発見の前方後円墳の魅力について、発見から調
査に至るまでの苦労話と共に、たくさんの聴衆に、
最後までとても喜ばれる大会内容で終了しました。

　この大会の開催で、私たちが一番嬉しかったこ
とは、古墳が所在する吉川区町田町内会の代表者
や古墳の地権者の方々が自ら進んで参加申し込み
をして下さったこと。かつ積極的に、古墳にまつ
わる最新情報を聞きに来て下さったことでした。
私たち研究会で懸命に努力した過程がここで少し
報われた気がして、新潟市からの帰宅の際は、車
内で大いに話が盛り上がったことを鮮明に覚えて
います。

町田古墳群に群生するよう
になった山野草：イワカガ
ミ（古墳の発見により新し
い魅力の一つとなりました）

　他にも、古墳 year の前年 2019 年 7 月世界遺産に登録された大阪府「百舌鳥・
古市古墳群─古代日本の墳墓群─」のニュースと共に、世の中で「古墳ブーム」
が起きたのも、ちょうど 2020 年の頃からでした。仲間同士で一緒に出かける先
で見える山々が、何でも「古墳」に見えてしまうのは当然の成り行きだったか
もしれません。

　研究会発足前後から、それまで踏査対象としていた山城の他に、古代北陸道
のルート確認、古代の郡と郡の境に立てたと考えられている「牓示石」の確認、
吉川区内を中心とする製鉄関連遺跡の踏査と遺跡確認、頸北地域で初めての発
見となった須恵器窯跡の踏査など、頸城平野全体の新しい歴史認識を考えてい
く上で必要な様々な要素を、一つ一つ紡いでいくような新発見が次々と明るみ
に出る（見える）ようになってきました。当然、仲間同士の情報共有は必須となり、
内容もだんだんと高度で難しい領域に達していますが、たとえそうだとしても、
学ぶことの楽しさ、新しい文化財を発見する楽しさ、見て聞いて歩いて知る楽
しさ、文化財が持つ魅力はまだまだたくさん存在しているのだと日々痛感して
います。

4. 新しい知見と研究会のこれから

　2021年12月20日、インターネット上のNEWS WEBにて、「弥生時代後期の朝鮮土器　長野県木島平村の根塚遺跡から出土，東日本初！」という報道が出ました。長野県指定史跡根塚遺跡出土の遺物の中に、北部九州や近畿地方など西日本でしか見つかっていない「三韓瓦質土器」があることが判明したというのです。このニュースはまさに、鳥肌が立つ程の衝撃報道でした。

　なぜこの報道が私たち研究会にとって、大ニュースであったのか。この件で、私たちの研究活動の方向性に、一つの転機が訪れたと言っても良いのではないかと思います。

　縄文時代の終わり頃から弥生時代にかけて、日本列島には稲作文化が到来し、多くの渡来人が海を渡ってきて中国系・朝鮮系の新しい文化を日本列島にもたらしたと以前から考えられてきました。長野県北部地域で発見されている積石塚（石を積み上げて墳丘を造っている墓）もその一例であり、その技術を伝えた半島の人々がいったいどのルートをつたって長野県へたどり着いたのか。そのことを考えるためには、新潟県下でも特に頸城平野の歴史が大きく関わっている可能性が高いと考えられています。いまだにはっきりと解明されていない大きな歴史的問題であるが故に、ただ単に頸城平野だけの歴史解明にとどまらず、日本海に面した北陸地方や山陰地方、そして北部九州へと、頸城地域との歴史的な関わりを広く調べていく必要性も出てきています。広がれば広がるほど調べなければならない対象や必要とする歴史知識は格段に増えますが、その知識を増やしていけばいくほど、頸城平野でのまた新たな発見につながる可能性もあります。

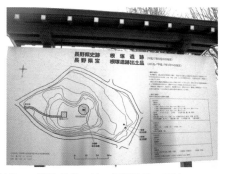

2021年12月25日　木島平村ふるさと資料館での遺物見学の前に根塚遺跡の現地へ

上越市大潟区内で表面採集された土器片

　そして、最後に、決して見逃してはならないことがあります。

　それは、世界の歴史を考える上でも、歴史は常に続いているということです。つまり、一つの時代のことだけを切り取って考えてみる前に、前代の歴史から引き継がれた何かをきちんと解明しながら、歴史研究を進めていく必要性があるのではないかと思います。

　頸城平野の歴史一つを考えてみても、この原理は当然のことながら当てはまります。弥生時代に形成された歴史は、その後の地域の歴史に確実に残されていき、現代に生きる私たちがそれをきちんと解明できるように尽力する。私たちの研究会活動は、これからもこのような視点を持ちつつ、前進していきたいと考えています。

【参考文献】
高橋勉「頸北史の再評価」（上越郷土研究会発行『頸城文化』68号、2020年）

"上越の住宅の移り変り" 雑感

廣田敏郎 HIROTA Toshirou

はじめに

　現生人類が地球上に住むようになって 20 万年以上、日本には 3 ～ 4 万年前から人類が住むようになったといわれています。その現生人類が縄文時代になると狩猟採集生活から竪穴住居で定住するようになりました。上越に人類が住むようになり、今日までに雪国に適した住宅が建てられてきました。中門造農家、雁木町家、克雪住宅等、上越の特徴的な住宅の生まれた背景を見ていきます。

1．大昔の住宅

　われわれの祖先がはじめて住居をもつようになったのは竪穴住居といわれるものです。上越市域で人間生活の跡を示す最も古い遺跡は、現在のところ八反田遺跡（大字寺分）で県内最古と思われ、今から 5500 年ほど前の縄文前期後半です。地面から 40 ～ 50cm 掘り下げて床面とした 16 平方メートルほどの半地下式竪穴住居に夫婦と子供の 5 ～ 6 人が一軒の家族構成であったと思われます。（上越市史普及版平成 3 年版）一般庶民は平安時代までは竪穴住居で生活をしていたといわれています。竪穴住居内での生活の仕方は時代により変化していきました。

　上越の考古学の先駆者森成麟造は明治時代から上越周辺の原山遺跡、宮口古墳、菅原古墳をはじめ、県内外の遺跡調査を行い、偉大な足跡を残しています。越後の中心は先史、古代にかけ斐太遺跡群から平野東部の古墳群、国府・国分寺、春日山城址、福島城址、高田城址へと移動してきました（釜蓋遺跡発掘調査報告会）。高田に城が築かれると旧春日山城下や福島（直江津）城下から庶民や町人が高田城下に集められ家が造られ、これが今日の高田の町並みの原型となっています。

128

２．江戸時代

★下級武士の家・長屋

　高田城下の下級武士と足軽は長屋での生活です。郷土史家稲荷弘信氏の「写真 高田風土記」（昭和39年）に「高田藩士時代の足軽の長屋は、入口と全面積の三分の一に及ぶ台所と約６帖の居間の三室しかなく、天井はカヤを用いた簓子天井で、低く暗く屋根は藁葺である」とあります。 この足軽長屋（西城町4）は昭和40年まで現存していました。

★農家の住宅

　農家は、Ｌ型の鍵屋型で一般に中門造りという形式に属するものが多いです。中門とは家の突出部のことで、入り口になっているのを表中門、裏にあるのを裏中門といいます。裏中門には台所や便所になっている例が多いです。台所、出の間（茶の間）の四間のある四間型で、入口に広い土間があったり、中門を設けたりします。特に中頸城に多いこの型を頸城型といい、この他台所の位置の違いにより、東頸城型、西頸城型などと呼ぶ間取り形式もあります。新潟県内の農家の特徴となっています。

★町家の住宅

　『「町家読本」―高田の雁木町家のはなし（平成31年改訂)』によれば、高田の雁木町家には玄関を入ると、片側に細長い土間が通されています。すべての部屋はこのトオリニワに沿って並んでおり、そのためザシキを通らずチャノマから台所まで行けるなど、家事や接客が容易になっています。江戸期から明治期になると収納であったオモテニカイが居室に、大正期にはウラニカイも居室となり、オモテニカイと繋ぐ渡り廊下が架けられ、チャノマ上部は吹抜けがある高田町家の特徴となっています。

３．明治大正から昭和初期の戸建住宅

　明治時代になると洋風建築が全国的に見られるようになります。上越では明治になると学校・旅館・写真館・洋食屋等、洋風建築が建てられました。今でも軍御用の牛鍋屋（事務所）小熊写真館（明治村に移築）が残っています。
大正時代から昭和初期にかけて、郊外住宅地に洋館付き和風住宅が中流層に流行りました。大正２年に建てられた初代知命堂病院長宅（瀬尾原始邸）は当時の典型的な洋館付き住宅です。この住宅の洋館部分はその後、細巾会館（昭和

35）、サトコウ（昭和40）と所有者が移転、後上越市に寄贈されました。

　昭和に入ると、一般家庭の生活様式も変化、中流家庭の住宅の間取りに中廊下式が普及しました。間取りは南側に居間・茶の間・寝室、北側に台所・風呂・便所を配する居住者を中心とした間取りです。昭和8年に建築された小林古径邸も中廊下式住宅の 間取りです。

４．昭和50年（1980）代からの雪対策住宅と省エネ住宅

　昭和50年代は克雪住宅の開発が盛んになりました。耐雪型・落雪型・融雪型住宅等の種類があります。昭和54年に出版された『雪国の住まい』（地域振興整備公団）は雪対策住宅のバイブルとなりました。昭和55年の大沼匡之氏（現農研機構）の高床自然落雪実験住宅は、以後の克雪住宅の開発 に大きな影響を与えました。また昭和60年代は個人や企業が種々の雪処理住宅が開発され実用化されました。中でも柳雄一氏（旧川西町）の開発した柳式融雪屋根システムは大きな話題となり、十日町市や小千谷市の公営住宅等に採用されました。昭和55年に設けられた「省エネルギーネルギー消費」を少なくする技術が飛躍的に向上し、多雪地域では雪処理住宅と省エネを組合 わせた住宅が多くの企業で開発され販売されるようになりました。

５．現代の省エネ住宅

　令和3年（2021）4月には建築物省エネ法が改正され、省エネ住宅は仕組みや理念によってこれまでにない考え方で開発されました。代表的なものは、「ZEH（ゼッチ）」：家全体でのエネルギー収支ゼロを目指す住宅、「HEMS（スマートハウス）」：外出先から家電のスイッチ操作、温度変更やタイマーの設定などを可能にした住宅、「LCCM（ライフサイクル・カーボン・マイナス）」：住宅の建設から廃棄までの長いサイクルでCO_2の収支をマイナスにする住宅などがあります。

　省エネ住宅の注意点は、断熱性を高めたり、省エネ機器を備えるための材料・工事費用、申請費用等の準備や費用などのことも留意する必要があることを忘れてはなりません。

６．将来の住宅の在り方

　今後の住宅建築は、快適さ、経福祉済性、健康的、耐久性という省エネ住宅

としての条件を満たすこと、地球環境問題についても今まで以上に考慮する必要があります。

　平成27年（2015）9月、国連サミットで採択されたSDGs（持続可能な開発目標）は、2030年度までに達成するために掲げた17の目標があります。建設業が特に大きく貢献できる分野としては、「9：産業と技術革新の基盤をつくろう」、「11：住み続けられるまちづくりを」「12：つくる責任つかう責任」、「13：気候変動に具体的な対策を」等は、ゴール達成の重要なカギとなります。住宅建築には3つの構成領域〈TBL：環境・社会・経済〉（トリプル・ボトム・ライン）を考慮して造らなければなりません。（岩村和夫「住宅・建築によるSDGsの実現に向けて」）

おわりに

　われわれの祖先の現生人類がはじめて住居をもつようになったのは竪穴住居です。竪穴住居の材料は木材や草、石や土など自然に手に入るものでした。ところが人間の生活レベルが向上するに従い、薪炭・水力中心時代から石炭利用拡大、石油利用拡大、原子力・ガス利用拡大とエネルギー消費量が増大しました。エネルギー消費量が多い住宅などの建設関連作業は、人間の生活環境をよくすることだけを考えるだけではなく、地球に住んでいる動植物などの生態系全体の環境をも考慮に入れて建築する必要があります。

à la carte

春日山／
林泉寺総門
（藤野正二撮影）

葬祭業者と家族葬

真野純子 SHINNO Junko

1．葬送の変化

　誕生から成人、結婚、死を迎えるまでの人の一生は、人生の区切りをつけていく上でそのつど儀礼をともなってきました。個人の家が主体となるその儀礼にあたっては、周囲の人々から祝福や弔意を受けましたが、家族だけでなく周囲の協力を受けることも多かったのです。

　ことに死者の葬送にあたっては、上越地方では1965年（昭和40）頃まで地域社会（集落）の人々の手伝いを必要としてきました。高田・直江津の町なかを別にすれば、集落には遺体を焼却する焼き場や土葬する埋葬地がありました。上越地域は真宗寺院が多いので火葬するのがほとんどですが、桑取谷の曹洞宗寺院地帯などでは土葬でした。

　死者がでると他家で枕団子やところによっては赤飯（胡麻や食紅をつけない）をつくり、喪家（死者の自宅）では葬具作り（しかばな・杖など）や死に装束を縫うなど手伝いをし、死者を湯灌・入棺して通夜を迎えました。翌日の葬儀には寺院僧侶による読経と参列者の焼香のあと、遺体をおさめた棺は集落の班（組）の人々に担がれて葬列を組んで焼き場や埋葬地へ送りました。これが野辺送りです。集落の人々（主体は班とか組と呼ばれる範囲）は、火葬の場合は焼き場でくべる薪や藁を提供しあい、土葬の場合は墓穴掘りをしました。

　かつての集落は米作りに必要な灌漑用水の管理などをするだけでなく、葬式のように人生のあらゆる面で助け合う、いわば生活共同体でした。それが高度経済成長期（1955〜1973年）の到来で日本の産業構造が変化し、専業農家が激減し、機械化も進むなかで、共同作業が減少し簡素化されていきました。この現象は農業に限らず、集落の生活全般にわたりました。葬式のありかたも例外ではありません。

　中山間地の桑取谷を例にあげれば、1955年（昭和30）に直江津市に合併した時点で、市からの要請もあり、集落の人々の手による土葬と火葬はなくなって

いき、五智にある公営火葬場で遺体を荼毘にふすようになりました。これまで葬式の仕事は葬儀に参列する本家・分家、親分・子分、隣などの親戚が中心となって進め、むらうちの班の人々が野辺送りでの棺担ぎと行列役（笠・わらじ・竜頭・天蓋・提灯を杖にぶらさげて持った）や火葬・土葬での力仕事をこなしてきました。ところが、直江津市公営の五智火葬場での火葬を機に、これまでの葬式に関する仕事が地域住民や親戚の手を離れ、少しずつ葬祭業者の手へ移っていったのです。土口集落では1978年（昭和53）頃から葬儀社や農協を利用しはじめています。

　直江津の町なかでは手伝いといっても、食事のまかないや葬式での受付ぐらいだったものの、平成年間（1989年〜）にはいると、食事の用意も隣近所ではなく、仕出し屋に頼むようになっていきました。

　遺体を焼却し遺骨にする公営の火葬場は、直江津市では1928年（昭和3）に五智に、高田市では寺町に1933年（昭和8）にできました。老朽化にともない、1985年（昭和60年）には、上越市の公営火葬場が居多に建設されていきます。1996年（平成8）から斎場の業務を市から財団法人上越市環境衛生公社に委託するようになりました。現在の上越市の火葬場はこの居多（上越斎場）と柿崎（頸北斎場）の2カ所です。

2．葬祭業者と家族葬の出現

　私は1984年（昭和59）に上越市に転入しましたが、1985年（昭和60年）頃、高田の寺町に住む人の葬式は寺町にあるお寺の本堂でおこなわれました。また、1997年（平成9）の近所の葬式では、通夜を自宅（喪家）で、葬儀・告別式を葬儀式場でおこない、近所の親しい人が受付をしていました。通夜では真宗大谷派僧侶の読経の間に、焼香し賽銭箱をまわしていました。同家の2010年（平成22）の葬式では、通夜、葬儀・告別式ともに葬儀式場で行われ、近所の人が受付をしました。

　高田の大町4丁目では、1992年（平成4）以降、自宅で葬式をおこなう家はないと聞きました。現在では葬儀社の営む葬儀式場を使い、自宅での葬式はほとんど見かけなくなりました。近所の人々が葬式の手伝いをすることも少なくなり、葬儀式場での葬儀・告別式に参列し焼香するだけですますようになりました。その分、葬儀社（葬祭業者）が葬式いっさいをしきるようになってきました。町内との関わりから言えば、死亡通知は町内会の仕事として各戸のポストへ知

らせが届けられてきましたが、葬儀式場までの送迎マイクロバスは葬儀社の手配でおこなわれます。

上越市内の「葬祭業者」（葬儀社）と【葬儀式場】は、東條造花店（本社は妙高市）【シティホール東條会館（板倉・直江津〈石橋〉）、家族葬専門式場和（なごみ）（高田寺町店・南高田店）】、ビップ（株）グループ【シティホール上越〈土橋〉・桶孫葬祭（セレモニールーム大町）】、えちご上越農業組合虹のホール【稲田・直江津〈石橋〉・大潟】、セレモニーホールへいあん【柿崎・ミライエ上越妙高〈大和〉・ゆきつばき〈高土町〉・直江津〈石橋〉・直江津東〈下源入〉・春日山〈春日山町〉】、千花堂【メモリアルホール千花堂〈五智国分〉】、上越フィネラル（株）【大和会堂〈大和〉、家族葬ホールつどい〈飯〉】、【こもれびの森〈大貫〉】、篠宮祭典〈戸野目〉、清水造花店〈名立小泊〉、ベルこばやし（有）（旧小林葬祭造花店）【桜の家〈藤巻〉】、桶孫造花店〈柿崎〉です（注：2022年（令和4）6月発行のNTT電話帳『タウンページ　新潟県上越市版』をもとに加筆修正）。

上越市内には葬儀式場の建物が20カ所も存在しています。上越市域にだけでなく、妙高市・糸魚川市域を含めて数カ所の葬儀式場を営んでいる葬儀社もあります。古くからの葬祭業者としては、高田の大町3丁目にある「桶孫」（現在はビップグループの「セレモニールーム大町」）で、江戸時代に桶屋をしながら榊原藩士の葬儀にあたったと伝えられています。葬祭業者は桶屋（座棺の棺桶作り）、花屋、造花店などから出発していますが、葬儀社がみずから葬儀式場を建設し、そこでの葬儀いっさいを運営しだしたのは、つい最近の1990年代前半からのことです。

上越市では葬式といえば、仕事先の関係者、地域住民、親類縁者などが参列するスタイルが一般的ですが、社葬（会社葬）のように大きなホールで盛大な葬儀をおこなう場合も見かけました。葬儀施設は大ホールを中心に建設しはじめました。

それが最近、核家族化にともない、家族のみでとりおこなう葬儀を見据えて、「家族葬」と銘打った小規模な葬儀式場が出現してきました。その最初は、2017年（平成29）に設立した高田寺町の「家族葬専門式場　邸宅　和（なごみ）」（写真1）です。ここは妙高市に本社のある東條造花店（東條会館）の経営で、新しい葬儀のかたちを提案してきました。各戸をまわりチラシを配って互助会に勧誘したり、説明会を開いたりと、積極的に「家族葬」を宣伝しています。その後、家族葬専門式場として寺町店だけでなく、2020年（令和2）には南高田店も設営されています。2番手は飯の山麓線交差点の近くに「家族葬ホール　つどい」（写

真2）と大きな看板を立てた平屋の建物です。大規模斎場の「ベル・メモリア　大和会堂」と同じ、上越フィネラル（株）の傘下にあります。ここは2016年（平成28）に「おくりびとのお葬式高田」が、2019年（平成31）2月に「家族葬専用式場つどい」と名称を改めてリニューアルオープンしました。そして、3番目は「こもれびの森」（写真3）で、山麓線沿いの大貫に雑木林を切り開いて家族葬ホールが3棟建っています。「家族葬　こもれびの森」と看板を掲げ、1棟貸し切り型式場です。

写真1　家族葬専門式場　邸宅　和（なごみ）

写真2　家族葬ホール　つどい

写真3　家族葬　こもれびの森

　葬儀社側の積極的宣伝もあり、「家族葬」と銘打った小規模な建物での葬儀がじょじょにおこなわれていきました。朝日新聞にはさまれたチラシ「上越 ASA ニュース」（朝日新聞サービスアンカー高田・直江津発行）には、式場の情報提供によるお悔やみ欄に「家族葬で執り行いました」と明記されるケースが2019年（令和元）に入ると、めだつようになりました。

　近年、新聞全国版の著名人死亡記事欄を見ますと、家族・親族だけで葬式をすませ、場合によっては後日、故人のお別れ会・偲ぶ会を催すと追記したケースが多くなりました。会社が社員の一生を丸抱えする時代が過ぎたこともあり、社葬など盛大な葬儀を催すことは少なくなりました。家族葬は1990年代後半からはじまっているといわれています。上越の葬祭業者もこの流れを見据えていたといえましょう。

3．コロナ禍による家族葬の一般化と弔問の受付

　上越での家族葬専門式場の出現からほどなくして、新型コロナウイルス感染症（COVID-19）の世界的流行がありました。2019 年（令和元）12 月初旬に中国武漢市での発生から数か月後には世界的に感染流行し、死亡者は高齢者を中心にかなりの数にのぼっています。2022 年 12 月現在、コロナウイルスのワクチン接種も 5 回を数えますが、いまだ終息していません。人との接触を極力避けることが言われ、マスクをし、手指を消毒するなど、飛沫感染に注意が向けられました。そういう状況下で、家族だけの葬式がとりおこなわれていきました。

　コロナ禍での生活が日常化するにしたがい、上越での葬式は弔問を断るのではなく、通夜、葬儀・告別式に葬儀式場で焼香をしたら直ちに散会してもらい、弔問客の帰ったあとに寺院僧侶による読経などを家族・親族のみでとりおこなう形式が定着してきました。通夜・葬儀の前に 30 分ほど弔問を受け付け、弔問客は香奠を受付で渡して、喪主の挨拶文と志の品を受け取り、祭壇の前で焼香し、喪主に挨拶をして引き上げる形式です。葬儀社から提供された新聞チラシのお悔やみ欄には、一般弔問客を受け付けないで「家族葬で執り行いました」もありますが、すべての葬儀が「家族葬で執り行います」ときには「親族のみで執り行います」「近親者のみで執り行います」と明記されるようになったのです。

　一般弔問客が通夜・葬儀に参列することもなくなり、広い斎場は必要なくなりました。そこでは「家族葬」というこじんまりとした空間があればたりるのです。新型コロナウイルスの流行は、人々が接触する時間や人数を最小限にとどめることを奨励しましたので、葬儀もそれに遵守しておこなわれています。駐車場のスペースを広大にとった大型斎場である大和会堂（写真 4）の入口には

写真 4　大和会堂

写真 5　セレモニーホールゆきつばき

「家族葬ルーム見学受付中」という立て看板がわざわざ立っていました。かなりの葬儀式場が家族葬を念頭に運営するようになってきたということです。

　例えば、平安セレモニー株式会社は、1994年（平成6）に経営する結婚式場「サンパレス」を葬祭専用ホール「セレモニーホールゆきつばき」（写真5）に改めてオープンさせましたが、2021年（令和3）に近年の家族葬や新しい形に対応すべく、全面リニューアル工事をしています。

4．葬送の未来図

　最近、日本の葬式は、故人の功績をたたえる社葬のような盛大な葬儀ではなく、心に寄り添い家族のみでおこなう家族葬が増えてきました。葬儀はもっぱら家族・親族のみですますというパターンです。会社が個人の一生を保証してくれるような経済構造がなくなり、核家族化も葬式参列者の縮小を後押しした感があります。さらに新型コロナウイルスの流行がその動きに拍車をかけています。

　この頃は、葬式での作法などを知る機会が少なくなり、葬祭業者（葬儀社）の指示に従って葬式を執りおこなうことが通常となりました。地域ごとに異なった葬送の民俗は消失していきました。今では社会全体の変化に即応する葬祭業者側の動きが重要となっています。「家族葬」と銘打った建物の出現もそこにあったわけです。

　現在、家族を持たずに個人として生涯を終える人も増え、高齢者の孤立・孤独死が問題になっています。「家族葬」が一般化するだけでなく、火葬場で焼くだけの「直葬」もおこなわれる世の中です。無縁の遺骨を含めて、遺骨の始末が今後の課題となってきています。また、家の墓に遺骨を納めるのではなく、散骨とか樹木葬にするケースも増えています。

　上越市では「樹木葬」と銘打った墓地があらわれています。上越市大町の西光寺を管理者に仏壇・墓石のトーア株式会社が販売者となって、上越初の「複合型樹木葬」として48区画をオープンさせました。また、「跡継ぎがいなくても安心！」というキャッチフレーズで同じくトーア仏壇店が販売者となって黒井（日之出町）の寺院大慈院を管理者にして樹木葬の区画を分譲する新聞広告が載っていました（2022年4月23日、5月3日）。また、株式会社上越フィネラルが販売管理する形で東本町の照行寺が事業主体となって、樹木葬の区画の申し込みを募っていました（「まるごと上越！」11月号　2022年10月20日発行）。

　ただし、葬祭ひとつをとっても、社会の変容にあわせて形態も速度もかわっ

ていきます。まして地域によって一様ではありません。地方都市の新潟県上越市では、家の敷地に墓がある家もあります（個人墓地）。上越地方では家族の崩壊を目のあたりにすることもなく、穏やかに生活が営まれてきたように見受けますが、死をどのように受け入れていくかをも含め、葬式のあり方を見届けていかなくてはなりません。

à la carte

東本願寺高田別院山門（裏から）
（藤野正二撮影）

五智国分寺三重塔、周りの桜が
一段とキレイ（藤野正二撮影）

柿崎芋の島神社／柿崎区／
2018年1月10日（松井隆夫撮影）

田麦地区の鳥追い行事／大島区
　　　　　（松井隆夫撮影）

お寺は人と人をつなぐ絶好の場所だ
～いちょう食堂から見えたもの～

長尾　章 NAGAO Akira

　僧侶であり仏教学者の金子大栄師の生家として知られる南本町三丁目にある最賢寺。

　境内には本堂を覆い隠すように高く伸びた樹齢300年を超える大イチョウ。晩秋になるとその雄大な樹姿が黄金色に染まる様は壮観で、毎年感嘆の声をもらし見入ってしまう。落葉後は境内が黄色い絨毯に様変わりし、それもまた美しいのだ。

　今回私がお話ししたいのは最賢寺さんで始まった「いちょう食堂」のこと。いちょう食堂の話を取り上げるに至ったいきさつについて説明したい。

　お寺は古くから一般社会の中に存在し、人々に教化伝道を行い、また檀家との一つの共同社会を構成してきた。しかし昨今は人口減少、家族形態や地域社会の変化、価値観の多様化によりお寺の存在意義が問われてきた。廃寺となるケースもいくつかみられる。そんな世の流れから、ヨガ教室、座禅体験、音楽会場としての利用など新たな取り組みを展開するお寺が上越市内でも見られるようになってきた。その中でも子ども食堂を立ち上げた最賢寺さんは同じ町内

いちょう食堂
2016年7月にオープン。会場は最賢寺
　（冬場は南三世代交流プラザを利用）
毎月一回金曜日の夜に食事を提供。
　（17時～19時）
南本町小学校区に住む0歳から高校生が対象者。
子どもの参加費は無料で保護者は200円。

にあるお寺ということもあり、非常に興味があったのでお話を聞いてみたかったのである。

いちょう食堂は上越市初の子ども食堂として2016年7月にオープン。いちょう食堂の代表を務めているのが最賢寺の副住職である金子光洋さん。金子さんは大阪生まれで大学時代に奥様と知り合い、2008年に婿として上越に来られた。上越に来てから3年が経過しようとした3月にあの東日本大震災が発生。金子さんの本格的なボランティア活動はここから始まった。被災地で支援活動を行い、福島の子どもたちをホームステイとして受け入れることもした。その後の熊本地震や糸魚川大火でも現地に行って炊き出しや物資支援も行なった。

そんな災害支援を行う有志の会を取り締まる金子さんに子ども食堂開設の話が舞い込んできた。

貧困家庭のためのいちょう食堂だと思われている

—— 2016年に子ども食堂を始められたのですが、きっかけは？

[金] まず僕は子どもが好きってのがあります。上越に来て子どもの姿がよく見えなかったので、どんな子どもがこの地域にいるのかなっていうのと、東京で同じ真宗大谷派の僧侶の人が子ども食堂をやっているってのを知っていたので、地域の中でも子ども食堂のようなものをやりたいっていう声が上がっていていました。そんな時、僕がボランティアの代表をやっているというのを聞いた人が「子ども食堂やりませんか？」って僕のところにきて。僕も「じゃあやりましょう！」とすぐに返事しました。お寺ということで場所と厨房もありますし、スタッフも5、6人いましたし、色んなものが整っていました。2016年の4月に会を立ち上げ、第一回目を7月に行いました。もともと貧困っていうことにも興味があってそういうことも加味しながらやり出したって感じですね。

—— 子ども食堂って一つは「みんなで食事を楽しもうよ」という目的もありますし、もう一つはおっしゃったように貧困家庭への支援という部分もあると思います。ですがそこは前面に出すとやりづらいのではないでしょうか？

[金] そうですね、会を立ち上げるときにも貧困対策に特化してやりたいっていう人たちが多かったんですけど、それだけを目的にしないで地域の子どもたちの遊び場、居場所が提供できればいいってことを優先していくことにしたんです。

―― 会のブログを拝見させていただきました。いちょう食堂の様子が伝わって良かったですし、お子さんのプライバシーにはすごく配慮されているのを感じました。

［金］最近は何のためにブログをやっているのかわからなくなってきて、あんまり更新していないです。地域の子どもたちのためにやっているのに地域以外の人の目に触れてもらう必要あるのかなと思って。ああいう発信の仕方は地域っていうよりは不特定多数の人に見られることが多いのでやりがいが感じられなくなってしまって（笑）。そしてブログに子どもの写真を載せないっていうのはこの地域ではまだ貧困家庭をターゲットにしたいちょう食堂だと思われているんですよ。

　私自身も確かに子ども食堂というのは貧困家庭へ食事提供をする福祉っぽい場所というイメージを持っていた。子ども食堂は 2012 年に東京都大田区の近藤博子さんが始めたのが先駆けだとされている。近藤さんのきっかけがこうだった。「まともに御飯を三食食べられない子がいることを知り、温かい食事を提供したいという思いから出発した」。この部分をメディアがクローズアップして報道したことに加え、国や自治体も子ども食堂は貧困対策の一つとして位置付けてきたことも相まって世間一般には貧困対策のための子ども食堂と認識されるようになってきた。

　東京の小さな八百屋から始まった子ども食堂。その開設数はコロナ禍で鈍化しつつあるが、2023 年現在全国で 7,000 か所を超えるものになっている。
　その増加の背景には「子ども食堂＝貧困対策」というイメージが後押ししているともいわれている。というのも「子どもの貧困」と聞くと多くの人が関心を寄せるからである。「子どものためなら」と積極的になる。だから食材も活動費もボランティアの人手も集まりやすい。「子ども」にはそういう引力があるように思う。
　そしてまたこのようにも思う。
生活が困窮している子がいるならば一人でも多くの子に来てもらいたい、
でも貧困対策のイメージが先行してしまうと子どもが来にくくなってしまうので困る、

私が参加した日のメニュー。
ひじきご飯や豚汁がたくさんおかわり
できたのでお腹いっぱい。

でもそのイメージがあることで必要なお金、物資、人手が集まる、
というジレンマを全国の子ども食堂運営者は抱えているのではないだろうかと。

　子ども食堂には実は明確な定義は無い。あえて言えば「安価な料金あるいは
無料で、子どもや親子に食事を提供する場」といったところだろうか。対象者
もやり方も全国にある子ども食堂ごとに違うのだ。対象者を生活困窮者に絞っ
て活動している子ども食堂も全国にあるにはあるようだがそれは少数であり、
多くの子ども食堂は対象者を広げて「みんなで楽しく食べよう」を前面に掲げ
ている。いちょう食堂も同様で、実際私がいちょう食堂に参加してそれを体感
してきた。

　私が参加した日は雪が降り積もる冬で、この時期はお寺の本堂ではなく町内
にある南三世代交流プラザが会場となっていた。開場後すぐに食事というわけ
ではない。子どもたちは食事ができるまでの間、ドッチボールや卓球、トラン
プといった遊びをボランティアの大学生と一緒に楽しんでいる。私が会場に到
着してから金子さんに「何かお手伝いすることはありますか？」と尋ねると「子
どもたちの遊び相手になって下さい」とのことなので子どもたちがいる方へと
向かった。初めていちょう食堂に登場する私に子どもたちの視線が集まる。あ
のおじさん誰だろうと言わんばかりに。しばらくすると小学3、4年生くらい

の子が「おじさん、花札しようよ」と私を遊びに誘って来た。20分ほど遊び、食事の時間となった。食事場所へ移動するとすでに料理が並べられていた。席が決まっているわけではないが、大体同じ学年、仲の良いグループで固まり、低学年や未就学児は付き添いで来た保護者と一緒になっている。いちょう食堂では「いただきます」の前に大事にしている慣習がある。それは参加者の誕生日祝いだ。開催月に誕生日を迎える子がいるとみんなでバースデーソングを歌い、プレゼントを渡してお祝いする。照れくさそうにする子もいるが何とも温かな光景である。

　食事を終えると帰るまでの時間、また子どもたちは遊びだす。そして帰りの時間となるとそれぞれの親御さんが迎えに来て会場を後にしていく。

　子どもたちが実に楽しそうに過ごしていたのが印象的だった。考えてみれば親の目を離れて夜まで友達や大人と遊んで食事をする時間は子どもたちにとって非日常的で特別なものなのだろう。
そこに貧困対策のための子ども食堂というイメージは微塵も感じなかった。

地域の子どもと大人をつなぐ役割になりたい

—— いちょう食堂は冬場開催を除けば基本最賢寺さんで行われていますよね。本堂も利用するでしょうから、仏前で何か宗教的なことをしたり、仏様のお話をするといったことはないんですか？

［金］一切ないですね。宗教的なことを帯びると他の宗教に入っている方々が来れなくなってしまうので。だから本堂も内陣の戸を閉めてご本尊が見えないようにしています。開けているとボールが飛んで行ってしまうというのもありますし、内陣に入って遊ぶのも危ないですし。昔の日曜学校みたいなのが出来ればいいけど、子ども食堂では宗教行為は出来ないですね。子どもたちは「この中どうなってるの？」って気にはなってるようですが（笑）

—— 今後の展望や課題は？

［金］子どもたち同士、大人数で食事をするっていう経験も大事なんですけど、地域の人とご飯を食べるのが大事だと思っています。この地域にはこういう子どもがいるんだ、この地域にはこういう大人がいるんだってお互いが分かりあっていく必要性って今も昔も変わらないと思っています。南本町三丁目って10年

くらい前まで町内の運動会がありましたよね。

── 町内運動会ありましたね！

［金］あの運動会でよそから来た僕は地域の人を知るようになったんです。でも段々参加者が減ってきたとか高齢者が熱中症になったらどうするんだとか、否定的な意見が色々出てきて。僕は町内の文化部に所属していて運動会をなくすことは最後まで反対していたんですけど、結局やらない方針になってしまった。で、やめたらやめたで「最近町内にどんな子がいるかわからんなぁ」って言う人がいて、その人たちは運動会を無くしていいって言っていた人たちなんですよ（笑）。結局こういうことが起こるんですよね。

子供が大人を知る、大人が子供を知る

　食堂に来て初めて喋ったけど、別のところで会った時に「あっ、いちょう食堂に来ていた○○ちゃん！」「あっ、いちょう食堂にいたおばちゃん！」って会話が生まれればより安心してこの地域に暮らしていけるんじゃないかな。だからいちょう食堂が地域の子どもと大人をつなぐ役割になれればと思います。

　私がいちょう食堂を訪れた後日のこと。家の近くを歩いているときにいちょう食堂で一緒に遊んだ小学生にばったりと出会った。
「あっ、この間のおじさんだ！」「ああ、君か。学校帰りかい？」
そう、今まで顔を合わせていたかもしれないけど会話がなかった小学生との間に会話が生まれた。お互いこの地域に住んでいることを認識した証でもあり、少し嬉しい気持ちになった。金子さんが言っていたことはこれなんだなと強く共感した出来事だった。

　人口減少、少子化でいくつものコミュニティがまちから消えていった。それはコロナ禍でさらに拍車がかかり、人間関係も希薄になっていった。いちょう食堂はその失われつつある人と人とのつながりを構築する拠点となっている。未就学児、小学生、中学生、高校生、大学生、大人のスタッフ、調理のおばちゃんなど、異世代の交流がここにはある。子どもたちはこうした交流と体験を通じて大人との間合いを掴み、価値観を広げていく。大人は大人でこの活動にやりがいを感じている。いちょう食堂はみんなの居場所になっていた。

上越市では今現在、子ども食堂はこのいちょう食堂のみ。子ども食堂でなくてもいい、このように人と人が交流する活動の輪がもっと広がれば、地域の人々の心が豊かになっていくのではないだろうか。その点お寺というのは人を受け入れる広い場所と広いネットワークが備わっているのが強み。何か活動をするときにそこに宗教的な要素を入れるかどうかはそれぞれだと思うが、いちょう食堂に関してはそこは全くなかった。私はいちょう食堂を通じてお寺という場所に地域を明るくする希望と可能性を感じることが出来た。

à la carte

坊金の大杉／安塚区

梨平の盆踊り／
清里区

（松井隆夫撮影）

「越後瞽女」の現代的意義について

国見修二 KUNIMI Shuji

1．瞽女ブームからの脱却

　越後瞽女に関する話題になると「瞽女ブーム再来」などと呼ばれ、普遍的な「瞽女の有り様」が軽んじられてきた嫌いがある。例えば映画「はなれ瞽女おりん」での瞽女ブームもその1つだろう。また、杉本キクイさんたちと共に旅をし、旅の話を聞き取った斎藤真一。リュックを背負って一人でも瞽女宿などを訪ね歩いて瞽女の画を描き、後に瞽女の画家と呼ばれるようになった彼も、これまた瞽女ブームを大いに全国に巻き起こした。その画は人々の心をつかみ、今もその画に心打たれる人は多い。

　さらに、昭和45年に杉本キクイさんと伊平タケさん、そして昭和53年に小林ハルさんが記録作成等の措置を講ずべき無形文化財に選定された。3人は共に黄綬褒章を受賞し、越後瞽女の存在を全国に知らしめた意味でもその意義は大きい。キクイさんやハルさん、タケさんは東京での瞽女唄演奏会で聴衆に大きな感動を与え、これまた周囲が瞽女ブームに火をつけた。それぞれ共に、瞽女の存在を全国に広めるのには大いに役立ったことは間違いない。

　しかしながら、越後瞽女を語る時、常に「あの時代の瞽女」となり、当時のブームを語り、そのブームが去れば瞽女はまた忘れ去られる存在でもあった。つまり、越後という瞽女文化を核とした越後の地からの発信ではなかったことが「ブーム」を繰り返すことにつながり「瞽女の普遍的な文化発信」ができなかった理由の1つと言える。

　そんな危機感を持ち、画家の渡部等氏と私で新潟日報に連載した「越後瞽女再び」は、上越はもとより県内外にも大きな反響を得た。（平成21年12回）その後、同新聞に「残したい越後郷愁のはさ木」（平成27年から28年に20回）さらに「越後郷愁雁木を歩いた人々」（28年から29年23回）を連載した。合計55回分をまとめて平成29年『越後郷愁—はさ木と雁木と瞽女さんと』（新潟日報事業社）が出版された。これは越後の文化や越後瞽女を見直すきっかけに、

瞽女ミュージアム高田の
外観と内部のようす

少しでも寄与できたものと思っている。これからは、「瞽女ブーム」から脱却し「普遍的な瞽女文化の発信」が、何よりも大切だと強く感じるようになった。

2.「瞽女ミュージアム高田」の誕生

　2015年に「瞽女ミュージアム高田」が上越市東本町にオープンした。下記は濁川清夏理事長の開館の挨拶文である。

　　この度、地域社会の文化発展に少しでも寄与できればと、東本町一丁目の「麻屋高野」を改築し「瞽女ミュージアム高田」としてオープンすることになりました。このミュージアムでは、高田瞽女を描いた岡山県出身の齋藤真一画伯の作品、それと高田瞽女に関する様々な資料などを展示しています。素晴らしい齋藤作品を鑑賞していただくのはもちろんですが、かつてこの地で生活された高田瞽女の文化にも触れていただきたいと思っています。盲目の旅芸人と言われ頸城一帯の農村を回り、地域の人達と強い絆で結ばれていました。この瞽女の歴史を知っていただく事によって、皆様の心に感動を与えたい、そんな思いでこれから運営していきたいと考えています。どうか皆様、雁木の町高田にお出かけの際は、ぜひご来館賜りますようお願い致します。

この瞽女ミュージアム高田ができた意義は大きい。瞽女文化の発信基地ができたことは、ここに瞽女に関する情報が集約されて来ることを意味する。瞽女文化にふれてみたい人はここへ来ることによって、実際にその歴史を知り斎藤真一の画や瞽女さんの生活を収録した「ごぜ盲目の女旅芸人」（大島渚監督）、DVD「瞽女さんの唄が聞こえる」（伊東善雄監督）、そして瞽女に関する資料や写真なども見ることができる。この場所は、いわゆる高田瞽女の地域であり、長岡瞽女の地域ではない。しかしそんな些細なことにとらわれず、「越後瞽女」の大きな視点を持ち瞽女文化を発信できる基地となっている。企画展や瞽女唄演奏会のイベント、高田瞽女ゆかりの地を巡るバスツアー、瞽女文化だより、瞽女ミュージアム高田のホームページなどからの情報発信も大きな役割を果たしている。開館してから、10年近くなるが、今では沖縄から北海道まで全国からここを目指して来館者が来るようになった。さらに団体客や外国からも来館するようになった。これは誇ってよいことだろう。つまり「普遍的な瞽女文化の発信」が、高田から全国、世界へと可能になったのである。

3．映画「瞽女 GOZE」の公開

　2020年に瀧澤正治監督による映画「瞽女 GOZE」が公開され、大きな話題となり現在も上映が続いている。私もこの映画の製作に加わり、ロケ地の選定や撮影に同行した。この映画の主人公は小林ハルさんであるが、瀧澤監督は、高田瞽女や長岡瞽女にとらわれず、越後瞽女としての生き方を全国に発信したいとの思いが、皆の心を打った。瞽女ミュージアム高田も撮影場所になり、多くの人がこの映画撮影のための準備や撮影、完成してからも上映のために協力した。その他上越地域では、高田の雁木、牧区大月の棚田、白田邸、小柳邸前の雁木、林富永邸、妙高市中宿のはさ木風景などがロケ地に選ばれた。これらのシーンは、全国に上越や新潟の文化の深さと美しい風景をも伝えてくれた。

　監督が小林ハルさんの存在をテレビ番組で知ってから17年の歳月と私財を投げ打って完成したこの映画は、まさに「生きるとは何か」を問うことであり、目の見えない瞽女さんの生き方に私たちが学ばされ、勇気をもらうという構図である。瞽女さんと村人との人間関係や芸をものにするための努力、親と子の本当の愛情とは何かなど、現代の私たちに失われているものが、この映画を観ることで人間としての本能のようなものが覚醒して来て、感動を呼ぶのである。

映画のポスター（左）と
出演者、協力者との集合写真（右）
瞽女ミュージアム高田にて

上越市の雁木でアドバイスする
瀧澤監督

妙高市の雪のはさ木道を
歩くシーン

映画が公開されてから数年経つが山間部の瞽女さんの思い出を知るお年寄りや、若い世代の方々にも是非とも観てもらいたい映画である。そのために、微力ながら県内外でも上映できるよう尽力したい。この映画のお陰で越後瞽女の存在を全国、また外国の方々にも広く知ってもらうことができたのだから。瞽女文化を発信できたこの映画の役割は大きいと言える。

　海外では次の賞に輝いた。ハワイ国際映画祭日本映画招待作品、ベルギーブリュッセル南東ゲント開催日本映画祭受賞、ハンブルグ日本映画祭観客賞、カナダトロント日本映画祭受賞である。今後も長期的な視点を持って、小さな上映でもよいので継続し、瞽女文化を伝え続けることが我々の役目と思っている。

４．まとめとして

　越後瞽女の現代的意義とは何だろう。多くの瞽女研究者が残した本や資料の成果を生かしながらも、一番の意義は瞽女の生き方にふれることにより、自己の生き方にそれを重ね合わせ、少しでも豊かな人間生活を築くことにあるのだろう。つまり瞽女の生き方を、自身の生き方に重ね合わせるのである。瞽女さんを知ることにより「生きるとは何だろう」「人間の有り様とは何だろう」「自分の生き方はこれでよいのだろうか」と問うことである。そして画を見て本や資料を読み写真を見て、映画や実録などを観て、自分の心に問いかけて来るものが、瞽女文化と言えないだろうか。瞽女の生き方が、瞽女自身の生き方で終わるのではなく、私たち一人ひとりが、己の中にその生き方を取り込むのである。それが越後瞽女の現代的な視点、意義と言えないだろうか。瞽女の生きた背景、瞽女を支えた瞽女宿や村人との関係などを問うことでそれは浮かび上がって来るだろう。まさしく瞽女を知ることは、生きた人々の文化の背景を知ることであり、今を生きる私たちの生活を直視し見直すことである。こうした越後瞽女の現代的な意義を知ることによって、瞽女は私たちの心の中にしっかりと生き、歩き続けることができるのである。

結婚式の形を探る

橋爪法一 HASHIZUME Norikazu

　上越市での結婚式の変遷を見て、今後の在り方を探りたいと思います。これまで私が書いてきたエッセイのうちの3篇をお読みいただければ幸いです。

万年青

　内山エツと婚姻夫の氏を称する旨届出昭和23年6月24日受付──父の戸籍にはこう書かれています。実際は届け出た日よりかなり早く結婚式を挙げたらしいのですが、どういうわけか父と母が記憶している式の月日は違うのです。二年前、金婚の祝いについて相談した際、「だいたい、おまんた、何月何日に祝言したがだね」と聞いたら、

　「5月30日だねかな」

　「田植え前の忙しいときに祝言どころではねぇだろ。4月30日だこてや」と、言い争いをはじめてしまいました。そのときは「困った親だ」と思いましたが、いろいろ聞いてみると、父と母の記憶の違いは、祝言へのかかわり方がそれぞれ違っていたことに原因がありそうなのです。

　母の実家は、わが家があった蛍場から約13キロも離れた東頸城郡大島村竹平にありました。祝言当日の天気は晴れ。髪結い等の準備で前日に仲人さんの家（蛍場の故長谷川正則先生宅）に泊めてもらった花嫁をのぞく関係者の行列は午後に出発。角間─久保─川谷─尾神ルートで歩いて花婿の家に向かいました。

　当時、祝言の場所は花婿の家と決まっていました。家の中はきれいに片づけられ、すだれで仕切ったニワ（農作業場）とナガシ（台所）には近所の女衆が大勢集まっています。豆腐を焼く、天ぷらを揚げる、昆布の煮付けを作る、かまぼこ、ちくわ、ごぼうなどを煮る、女衆は酒宴に出すお膳の準備で大忙しでした。横井戸にしまっておいた魚の料理や吸い物は、原之町の割烹から出張してきた高橋さんが手際よくやってくれています。ナガシやニワからただよう美味しそうな匂いが広間、座敷、さらには前庭へと広がり、宴が刻々と近づいて

いることを教えていました。

　行列が到着して祝言が始まったのは夜になってからでした。両家親族の紹介や花嫁が持参したタンスなどの家財道具の披露が終わると、いよいよ披露宴の開始です。亭主役は私の祖父音治郎。仲人である正則先生の挨拶のあと、紋付を着た2組の給仕役が冷酒を上座から順についでまわりました。この酒は花婿が出稼ぎ先の酒屋から帰ってくるときに土産としてもらってきたもの。この日のために飲まずにとっておいたのです。冷酒に続いて振舞ったのは燗酒、源地区などで石黒正宗と呼ばれていたドブロクです。白い酒がどんどん飲まれるにつれて宴は盛り上がっていきます。

　座敷に座った花嫁は一度も顔を上げることなく、ずっと下を見ていました。婚側の親族については音治郎以外みんな初対面の人ばかりだったし、前庭には尾神や坪野、高沢入、平等寺などから数十人の人たちが見物に来ていて、緊張しっぱなしでした。それに不安もつのるばかりです。だいたい、自分の夫がどんな人間なのかさっぱりわかりません。「いい男だわね」と聞いてはいましたが、一度も顔を見ていないのです。

　花婿はニワにいました。披露宴といっても花嫁を披露する場であって、花婿の席もなければ出番もほとんどありませんでした。花婿はニワで石黒正宗の燗をしていたのです。

　前庭には仲のいい若い衆がたくさん来ています。

　「おい、ホーセさ、オレにも一杯くらっしゃい」

　燗の番をしている花婿のところへ酒の催促をしにくる者もいました。

　花婿もまた緊張していました。もうじき最後の酌になるオツモリです。そこでは、ひと言挨拶しなければなりません。そして気になるのは花嫁の様子でした。花嫁と同じように花婿もまた相手の顔を見ていませんでした。挨拶に出るまでに、ちょっとだけでいいから顔を見ておきたい。そう思い、ニワと広間を仕切っている板戸の節穴からそっと覗いてみました。

　──けっこういい女じゃないか。言われたほど背も低くはない。

　花婿は安心しました。

　宴席での挨拶はまずまずの出来でした。花婿が登場すると、誰かが祝い唄の松坂を唄い始めました。それに呼応して、前の庭でも若い衆が次々と松坂を唄います。家の中も外も松坂一色になって盛り上がりました。花婿はさりげなく視線を花嫁に向けました。

──あれぇ、ちょっとちがうなぁ。

挨拶の直前、節穴から覗いて見た女性が花嫁の付き人の腰元であることを知ったのは、しばらくたってからのことでした。

花嫁が「お立ち盛り」といって、花嫁にご飯をたくさん食べさせる儀式になると、また家の中も外も盛り上がりました。花嫁の大きなお椀に伊勢崎の伯母が富士山のようにご飯を盛り付けると、前庭から若い衆の威勢のいい声がかかります。

「もっと、もっと」

花婿は、どんどん高くなる「お立ち盛り」を前にした花嫁が人なつっこい顔をして、ちょっぴり笑うのを目にしました。

私の母の両親は若くして亡くなっています。女親はお産の失敗により、40代で、男親は脳溢血のため60歳で死亡しました。そのため、母の祝言のときには母の祖父にあたる、「のうの」のおじいさんが面倒を見てくれたといいます。

そのおじいさんが結婚後初のお盆泊まりのとき、「末永く連れ添うように」と父に贈り物をしてくれました。ユリ科の多年草の万年青です。その万年青はいま、わが家の牛舎脇の広場にあります。2つの植木鉢に植えられた万年青はじつに生き生きしています。根茎は太く、葉は厚く、濃緑色です。先だって、朝の搾乳が終わってから父が、植木鉢の中の雑草を取りながらしみじみと言いました。

「オレが子守をしてきたこの万年青はもう50年も生きている。『のうの』のじちゃはオレを大事にしてくれた人だった」

50年も前に贈られた万年青はまだまだ若い。　　　　　　　　　　（2000年8月15日）

甥の結婚式

何度も笑いました。何度も涙を流しました。甥の結婚式でのことです。五月晴れの土曜日、6年間の付き合いの中で愛を育んできた甥とR子さんは、家族や親戚、職場の友人、同級生などから祝福を受け、結婚式をあげました。

結婚式場は長野県北部にあるワイナリー（ワイン醸造所）。わが家の近くから観光バスに乗って約2時間かかりました。バスの中は若い人たちが大勢で、賑やかでしたね。「殺し屋」というあだ名の同級生がいたとか、どこどこにエロ本があったといった話がポンポンと飛び出します。「新郎の橋爪の父親の橋爪です」という弟の挨拶に、甥の同級生などは「面白い」と声をあげました。まるでバス遠足のようでした。

ワイナリーに着いてから案内されたのは芝生の広場です。大きなトチの木が一本ありました。ケヤキがひと固まりになって大きく伸びているところが2か所ありました。遠くには妙高山が見えます。ここが結婚式場でした。

　結婚式は大きなケヤキの木の下で行われました。神父さんが進行役です。ユーモアたっぷりでした。新郎新婦の両親への問いかけに続いて他の参列者にも「お二人の結婚を心から祝福なさいますか」と訊きました。ほとんどの人が静かに「はい」と言うと、「ちょっと弱いですね。外ですからね。もっと山まで響くように大きな声で」と催促されました。今度は全員、大きな声で、「はい」とやりました。みんなは遠慮することなく笑いました。会場の硬い雰囲気はこれですっかりなくなりました。

　新郎新婦の誓いの言葉の後、神父さんは聖書に書かれている、「一生の間にあなたの妻と生活を楽しむがよい」「あなたは若い頃の妻と喜び、悲しむ」という格言を引用しながら夫婦生活のあるべき姿を語りました。そして新郎新婦に3つの言葉を贈ります。「ありがとう」「ごめんなさい」「いいでしょう」、この3つの言葉を必要に応じて使えばあなたたち二人は一生幸せです。神父さんがこう話をされている時、偶然なのでしょうが、ケヤキの木の上から小鳥たちの鳴き声が聞こえてきました。

　さて、結婚を祝うパーティはぶどう畑のそばのレストランで行われました。ここでも様々な工夫がありました。新郎の友人のなかには映像作成が得意の同級生がいたようで、「結婚式場に向かうバスに乗り遅れた男性が、高速を走り、大急ぎで会場に飛び込んでくる」映像をスクリーンで映し出し、どんぴしゃりのタイミングで実際にその彼と仲間が舞台に登場して歌を歌い始めたのにはびっくりしました。なかなかやりますね。新郎新婦の歩みを紹介するために、また、参加者への感謝のメッセージを伝えるためにスライドが上映されました。これもよかった。

　パーティではレストランのスタッフの人たちが一緒に楽しむ場面もありました。ケーキを運んでくる場面です。ラテン系の素敵な音楽が流れるなか、黒人女性がケーキを頭にのせて会場に入り、みんなと踊る。新郎も腰を揺らして踊り出しました。スタッフが結婚パーティを楽しむのを見たのは初めてでしたが、結婚を祝うって、本来、こういうことなんではないかなと思いました。

　不覚にも涙を流したのは新郎の上司の方から、「お父さんのことではお世話になりました」と言われたときでした。何と、父が介護でお世話になった人だっ

たのです。新郎の友人の「ユウダイ君はガニマタ」という言葉を聞いた時は祖父や父の姿を思い浮かべました。「私が自由に生きてこられたのも二人が私を守ってくれたから」と新婦が両親に伝えた感謝の言葉でも涙が流れました。お二人さん、がんばれよ。 (2013年5月26日)

花嫁行列

　晴れていかったねぇ。11月12日。大島区田麦は祝いの日となりました。昨年、吉川の山間部での研修後、田麦に移り住んできた光則さんと詩歩さんはこの日、地域あげての結婚式をあげたのです。

　「昔ながらのやり方で花嫁行列をやるてがすけ、おまん、時間あったら見にこねかね」そう言って私に声をかけてくれたのはヨシコさんです。花嫁行列は午前10時に田麦町内会長のケンジさん宅から出るという案内でした。

　私が到着したときには、すでに前庭にはジュンコさん、トミコさんなど3、40人の人が集まっていました。みんな、いまかいまかと待っています。小さな紙コップに入った祝いの酒やゼンマイの煮しめなどが入ったパックがふるまわれていました。

　私は竹平町内会長のマサユキさんから「さあさ、入って。花嫁の顔見ていってくんない」と誘われ、ケンジさん宅の座敷で、詩歩さんの花嫁姿を見ることができました。軽トラを運転しているときの顔も素敵ですが、やはり花嫁衣装を身につけた姿は違います。とてもきれいでした。

　居間には田麦町内会長のケンジさんがおられました。「大役ご苦労さんです」と声をかけると、「川谷に来なったが、こっちに来てもらって、もうしゃけねがど」との言葉が返ってきました。

　ふと、詩歩さんのところへ目を向けると、姉妹だか、親戚の人だかから携帯電話が渡され、耳につけています。「たぶん、結婚式に出れない遠くの人からの祝いの言葉が寄せられたのでしょう。詩歩さんの目が明らかに潤んでいました。

　さて、いよいよ花嫁行列の始まりです。「おはようございます。きょうはみなさん、たいへんどうもありがとうございます。これから、じゃ、嫁に出ますんで、よろしくお願いします」とケンジさんが挨拶しました。挨拶が終わるとすぐに長持唄が始まりました。「はああ、きょうはなあああああ、ひもよおおしい……」坂口ハルオさんの声は伸びがあって素敵です。めでたい唄にぴったりでした。

唄の区切りがついたところで「祝いましょう」と言って小豆が花嫁の列にふりまかれました。と同時に、「詩歩さん、きれいよ」「おめでとう」の声が次々と発せられました。小さな子どもさんの「おめでとう」という声も聞こえてきました。

　行列はとてもゆっくりです。「雨降らんでいかったね」「ほんとはもうちょっと青空出てもらいかったがど。でも、こんで充分だて」という声が聞こえてきました。道ばたにはシソ科のハーブ、アメジストセージが紫と白の花を咲かせていました。小さな花が寄り添って咲いているように見えることから花言葉は「家族愛」だとか。ふたりの結婚式にぴったりの花です。

　花嫁行列が旭郵便局の前を過ぎるあたりで、歌い手はハルオさんからシチロウさんに代わり、光則さんと詩歩さんの住まいである「うしだ屋」の前に着くと、最高潮に盛り上がりました。ハルオさんとシチロウさんが代わり番こに長持唄を唄い、やまざと暮らし応援団のショウキさんなどが「祝いましょう」と、小豆をまきました。

　この日の花嫁行列を見に来た人はすごい数でした。百五十人を軽く超えたかも。そして私が「いいなあ」と思ったのは、花嫁、花婿だけでなく、行列を見に来た人たちみんながうれしそうだったことです。そのひとり、一人暮らしのヨミさんは言いました。「嫁さん、きれいでいい顔してなったし、こんな嫁取りなんて初めてだ」と。

（2017 年 11 月 19 日）

à la carte

高田城址公園（石塚正英撮影）

妙高山という
険しくも美しい聖域の物語

石塚正英 ISHIZUKA Masahide

　NPO法人頸城野郷土資料室の事業として、私は上越市でしばしば文化調査の
フィールドに出かけるのですが、そのたびに、頸城平野のあちらこちらから山
並みを仰ぎ見ます。東の方面には米山や尾神岳、菱ケ岳が、西には南葉山が、
西南には妙高山、火打山、焼山が、それぞれ遠望できます。その遠景は先史時
代から人々の心を癒してきたのでしょう。頸城野に生まれた私は、そのことを
小学校歌に見出しております。とくに、歌詞に妙高山が記された校歌に注目し
てきました。私が卒業した大町小学校、城北中学校、高田高校のすべての校歌に、
妙高山が記されています。

　さて、以前、私は関山神社の神主だった関山明良氏に案内されて、神社の境
内（敷地）にある妙高堂の神仏を数体見学しました。そして妙高堂脇と神社の
周辺には、平安末～鎌倉時代（10～14世紀）に造られた石仏群が約20体おか
れています。すべて座った姿勢で、足の部分は地下に埋め込まれた格好です。人々
が修行を積んでいると、石仏の下半身は次第に地上に現れるという信仰を表現

早朝の妙高山

しています。私は、それらの石仏に関する著作をドイツ語で出版して、ヨーロッパの人々に紹介したことがあります。

ドイツに紹介される関山石仏群

　ところで、私が関山神社に注目する理由は、この神社が建てられる前の古代には、妙高山それ自体が人々の神様だったということです。そのような古い時代の歴史について調べるために、私は、関山神社から南北それぞれ100メートル位のところにある大きな岩へ向かいました。まずは南の岩ですが、高さ3メートル50センチ位、直径4メートル位の岩山で、南弁財天と名付けられています。近寄ってみると、岩山のあちこちに割れ目が見られます。それもかなり深いです。そのことにつき案内人の関山氏は、この割れ目は昔ダイナマイトで爆破されたときに

南弁財天（関山神社）

出来たものと、私に説明してくれました。この岩山は良好な石質であったため、神仏と知りつつ石片を採ろうとした人がいたとのことです。むろん、その人はもう村にはいないとのことでした。

　南の岩つまり南弁財天を見学したあと、今度は北の岩つまり北弁財天に向かいました。こちらは、南のものより多少小さ目でした。高さは南同様3メートル50センチ位ですが、直径は2メートル50から3メートルといったところです。岩山の上には樹木が数本根を張っており、そのために岩山表面は風化が進行し、ひび割れも目立っていました。できれば樹木を切り倒すのがいいのですが、神様の岩ですから、そう簡単には登ることが許されないとのことでした。

　さて、この二つの岩神を見学して、私は一つの結論を得ました。妙高山、関山神社、南弁財天、北弁財天の4箇所はずれも神様かあるいはそれを納めた神社かですが、それぞれ神の位についた年代が違います。一般論でいくと、いちばん古いのはむろん妙高山です。次いで南北の両弁財天です。そして最後に神社です。しかし、南北の岩山は妙高山と同じくらい古い神様とも言えます。この岩山は、弁財天と名付けられる以前から、妙高山とは別個に岩山それ自体が

神そのものだったのでしょう。

　妙高山は、古代からしばしば龍の腹だとか胴体だとか言われてきました。けれども、妙高山は、龍の胴体となる以前から、山岳それ自体で神体でした。また、中国から仏教が伝えられると、妙高山は西方にある浄土あるいは阿弥陀如来と考えられるようになりました。そのような歴史の中で、妙高山は幾度か名称を変えてきたようです。「中山（なかやま）」→「名香山（なかやま）」→「名香（みょうこう）」→「妙高山」と変遷したとも伝えられています。

　あるいはまた、妙高山は、その姿から須弥山（仏の山）とも言い伝えられています。須弥山とは、もともと古代インドの世界観の中で中心にそびえる聖なる山であり、山頂は神々の住む世界で，その周囲は幾重もの山々に囲まれているということです。中国では，妙高，安明などと称されました。たしかに、私が子どもの頃から見てきた妙高山は、外輪山を伴ったカルデラ（二重式）火山です。この山はまことに妙なる山岳で、頸城平野から眺めれば、仏教信者にとっては開花した一輪の豪華な蓮華を連想させずにはおかなかったでしょう。この山の頂は仏の棲み家であるとするのも、信仰的には十分納得のいく説明だったわけです。

　つねづね思うのですが、調査のため各地の神社仏閣を訪問したならば、必ずやそれらの外側を丹念に歩くべきです。古い神様ほど、寺社の中心から外へと運び出されています。あるいは、新しい神が古い神がみを押しのけて登場するや、古い方は軽んじられて脇役にまわるか、すっかり忘れ去られるかしていくのです。関山神社の場合、その神域の外、南北二箇所に寂々と佇む岩山２神、これが妙高山と共に最も古いです。おそらくこの岩神は、妙高山が中山と呼ばれていた頃から、この山麓一帯の住民によって神として崇拝されていたでしょう。ついに関山神社で最古の自然神に遭遇したあのときの感激は、いまも強烈なままです。余韻はいまなお私の心中に響きわたり、感銘はいまなお五臓六腑にしみわたっております。

「物語」から東西日本の接点直江の津と越後府中の空間を読み解く

佐藤和夫 SATO Kazuo

　本稿は、中世の物語に「直江の津」（直江の浦）、同時代の紀行文では「越後府中」として登場し、両者が同時に登場することがない空間を読み解き、そこから新たな視点を見出そうという試みです。

1．説経節

　直江の津を舞台にした、もっとも有名な物語は、説経節（説経浄瑠璃）「さんせう太夫」に代表される安寿と厨子王の物語でしょう。「さんせう太夫」は、丹後の国の金焼地蔵の由来を語る物語ですが、じつは金焼地蔵は岩城の判官正氏としてこの世に現れたという「本地物」と言われる仏教説話です。

　父岩城の判官の汚名を雪ぐために都へのぼる親子は、日の傾く直江の津（直江の浦）に着きます。「直江千軒の所」宿を貸す家は一軒も無いと嘆いていると、浜から帰る女が「越後の国直江の浦こそ、人売りがあるとの風聞なり」、宿を貸す者があれば地頭に罰せられるので、この先の「逢岐の橋」の下で一夜を明かしたらどうかと教えてくれます。この様子を見ていた人売り名人山岡太夫にだまされて東西の人買い船に売られ、うばたけは「賢臣二君に仕えず」と言い、念仏を唱えて二艘の船の間の海に身を投げます。

　これは能「婆相天」にも見ることができます。直江の浦の間の左衛門に使われる奴婢の姉弟が東西の人買い、売り分けられ、浜に残る母はどちらの舟に乗っても恨みが残るとして、2艘の舟の間の海に身を沈めます。

　両方の舟の間に身を沈めるというのは、直江の津が東西日本の接点であり、いずれにも偏らない「境界域」として、そこが仏の加護が働く場所として意識されていたと想像できます。都から見れば僻遠の地でありながら、盛んな物流によって土地の情報が大量に都へもたらされた結果であろうと思われます。

　そして「義経記」北国落ちの段の冒頭「越後国直江の津は、北陸道の中途にて候へば、それより此方にては、羽黒山伏の熊野へ参り下向するぞと申すべき。

3代目若松若太夫説経浄瑠璃公演。2016年10月1日、泉蔵寺（直江津）

それより彼方、熊野山伏の羽黒に参るぞと申すべき」という弁慶の言葉によって、東西日本の接点という認識が明確になってきます。

　直江の津では、浦の代官の命令で理非もわきまえぬ奴ばら二百余人が観音堂を押巻き……、という事件が持ち上がります。事件の場を幸若舞「笈捜」では、「当国の国府、善光寺へ参る道、総じて数多の道辻」と、都市としての直江の津を描いています。

　以上が物語の「直江の津」あるいは「直江の浦」です。

2．紀行文

　つぎに紀行文を見ていきます。宗祇・尭恵など、当時の多くの文化人が越後守護上杉房定・房能父子を訪れていますが、彼らの紀行文のすべて「越後府中」であり、「直江の津」は登場しません。

　その一つ、詩僧万里集九は長享2年（1488）10月、「梅花無尽蔵」の旅で越後府中を訪れ、応化川の「下の渡」を渡ると「屋を連ねて塩を焼き、煙は自

ずから垣となる」と府中の様子を伝え、従者は物価高を集九に報告しています。集九は上杉房定によって至徳寺を宿所として、安国寺、山本の圓通寺、居多神社、国分寺などを訪ねています。

　紀行文が描く越後府中の景観を物語で唯一伝えているのは「お伽草紙・鶴の翁」で、……越後の国に聞こえたるなをえの津に着き給う。ここに、大きなるみたちあり、城下の町賑わいて、商納市をなす……。と、直江の津と越後府中の関係性をうかがわせる場面があります。

　これほどまでに「直江の津」が多くの古典文学に登場するのはなぜでしょうか。

　中村 格氏は「中世における海運の発達と能―北陸の港湾を舞台とする作品を中心に―」で、直井の浦を舞台とする婆相天・信夫・竹の雪をはじめ、港湾とかかわる曲が少なくない。都から遠く離れた裏日本沿岸の諸港湾まで能作者の視野に入っていたということは、この方面との交通、海運の発達とそれに伴う商品流通による中央との交流を抜きにしては考えられないとし、恋田知子氏は、「お伽草紙『まんじゆのまえ』試論」で、「まんじゆのまえ」の鎧商人を「越後の国直江津の者」と設定することで、読者に人買いを想像させるのは、「直江津の持つ文芸世界でのイメージ」であると述べています。

　この「文芸世界でのイメージ」については、岩崎武夫氏が「続さんせう太夫考」で早くから指摘しているところで、氏は直江津が交易商港として鎌倉時代、すでに相当の重きをなしていたことが分かると述べ、交易が盛んであったということは、必ずしも良港であったことを意味しない。直江津の場合は特にそうであると述べています。――これは昭和40年代まで続いた事実である――。そして直江津の地理的位置に着目し、人身売買の物語は、直江津が北陸道の中間に位置し、東西文化圏の接点という異質なものが併存する条件を基礎において成立し、主役は登場人物というよりも「特殊な位置空間を占める直江津」であり、直江津という地方都市が抱え込んでいる境界的性格にあると指摘しています。

まとめと提案

　以上見てくると、従来言われてきた「直江の津」が越後府中という行政空間の一部、あるいは機能のすみ分けという見方ではなく、直江の津という港湾都市に越後府中という行政機能が包含されるものと考えた方が理解できます。

　近代にいたっても、

直江津を人買船の出でぬとて

　　　　ふためきて迫ふ山の雲かな　　　与謝野晶子

　　浅葱暖簾のかげに爪弾く昼の三味

　　　　ここは直江の津なる浜通り　　　吉野秀雄

と直江津を物語の場としてとらえ、また「直江津駅」そのものを境界性を帯び
た空間としてとらえた現代文学作品も数多く見出すことができます。

　「港まち直江津」の港湾機能がすべて関川の右岸の遠くへ移動した今、砂丘の
上に展開するまちをもう一度「直江の津」としてとらえなおし、「物語のまち」
として再生できないものかと提案したいと思います。

船見公園に建つ与謝野晶子の歌碑と日本海の夕日

新潟県上中越地域の文学風景

梅川康輝 UMEKAWA Yasuteru

　新潟県上越市高田は、ある意味で「文学の街」であると言えます。日本のアンデルセンとうたわれた小川未明、「城外」で第3回芥川賞受賞者の小田嶽夫、児童文学作家の杉みき子、小川未明文学賞優秀賞受賞者の河村一美……。この顔ぶれを見るだけでも第一線の作家が多いことが分かります。「この下に高田あり」と言われた雪深い高田は、杉みき子の小説にも数多く登場しますが、信号機が縦型であるも雪国特有です。

1．戦後直後の疎開文化が発祥の 2023 年に創刊 60 周年迎えた 「文芸たかだ」

　新潟県上越市で文芸同人誌「文芸たかだ」を発行する高田文化協会は、2023年に設立60周年の節目を迎えました。50周年記念には、前身の上越文化懇話会の発起人の1人だった雅子皇后の祖父である小和田毅夫（たけお）氏の子息で、皇后の父である小和田恆（ひさし）氏が上越市内の料亭で夏目漱石について講演し、約800人が集まりました。

　長年地方文化の発展に寄与したとして、文部科学省からも表彰を受けるなど評価が高い高田文化協会の副会長兼事務局長である河村一美さんに、同人誌を取り巻く現状と今後の目標などについて聞きました。

　「文芸たかだ」の前身である「文藝冊子」が昭和21年1月に「戦争ですさんだ心を文学や美術で癒したい」との思いで創刊されました。編集同人には、上越市に疎開していた上越市出身の小説家で、「城外」で第3回芥川賞を受賞した小田嶽夫、世界的カメラマンの濱谷浩のほか、上越市の医師藤林道三など7人が名を連ねています。当時、隣接する富山県には版画家の棟方志功氏もおり、いわゆる疎開文化が花開きました。

　「文藝冊子」は一旦自然消滅しましたが、前述の小和田毅夫氏が旧制高田中学（現新潟県立高田高校）の校長を務めるなど上越市に在住しており、「文芸たかだ」

創刊の発起人の1人となりました。昭和34年5月「文芸たかだ」が創刊され、以来59年間、2か月に1回雑誌を出し続けています。

河村さんの肩書は副会長兼事務局長ですが、実質的な編集者として、企画立案や原稿依頼をこなしています。

文芸たかだの歴代の雑誌

その人脈は広く、「毎年、年賀状は400枚書く」（河村さん）というほどです。「原稿はおかげ様で足りなくなったことはない。次号に回しているくらいだ」と嬉しい悲鳴を上げるほどです。

「高田の人は義理堅い。『購読を辞めようと思ったけど、付き合いがあるから、もう少しとるか』という人も多い。実は、高田文化協会は、学校の元先生や研究者ばかりで昔は敷居が高かった。私が事務局に入ってぐっと敷居を下げた」と河村さんは笑います。

また、「毎月自宅に配達されるので安心できる。自分も一緒に成長している気分になるし、この事務所が文化サロンのようになっており、文芸や美術について話し合える。会員になると投稿できるという点もいいのではないか」と話しています。

現在の会員は280人。ピーク時は400人いたといいます。運営費は会費と広告収入が主です。会員は30代から90代も数人います。70代が多く、中には60年間入っている人もいるといいます。会員の中には、歴代の上越市長から国会議員、県議、市議も多く顔を揃えています。

２．新潟県上越市出身の児童文学作家、小川未明が2022年で生誕140周年に

新潟県上越市出身の児童文学作家、小川未明が2022年で生誕140周年となりました。50年以上にわたる文筆活動の中で、童話約1200編、小説約650編を執筆し、日本のアンデルセンとも称される小川未明。

小川未明は明治15年4月7日に上越市高田に生まれました。2022年4月、生誕140周年を記念し、上越市の町家交流館・高田小町で小川未明研究会代表の小埜裕二上越教育大学教授による講演会が開かれました。

小川未明は高田中学（現高田高
校）に入学します。同級生には、
早稲田大学校歌「都の西北」を作
詞した新潟県糸魚川市出身の詩
人、相馬御風がいました。小川未
明は18歳で上京し、早稲田大学
の英文科に学びます。そこで、恩
師となる文学部教授だった坪内逍
遥に出会いました。

小川未明生誕の地の石碑

　小埜教授は「未明は、ロシアのアナキズム指導者クロポトキンから多大な影
響を受け、相互扶助の社会の実現、愛と正義と自由に満ちた社会の実現を願った。
それは、故郷高田を自然豊かで義の心を持った町に戻したいという思いに繋がっ
ていた」と話しました。

　また、小埜教授は「未明が大正15年に童話作家宣言をした背景には、厳しさ
を増した社会主義思想への弾圧の中で、社会運動から離れ、童話世界に逃げ込
んだのではないかと推測されることがある。しかし、未明は、社会変革はクロ
ポトキンの言う相互扶助の精神の導入という人間形成の面からこそ実現しうる
と考えた。人の生死・幸不幸は宿命ではないという自覚、弱きものの文学をな
す覚悟が未明の思想の核心にある。社会を変えるのは人間であり、相互扶助の
心を持った人間を育てることが明るい未来を気づくことだと未明は信じた」と
語りました。

　なお、上越市幸町には、生誕の地の石碑もあるほか、上越市の市立高田図書
館内には小川未明文学館が設置されており、文学館には小川未明の著作集のほ
か、一角には後年住居を構えていた東京都高円寺自宅の居間（書斎）が再現さ
れています。

3．芥川賞候補作も出た新潟県柏崎市のハイレベルな同人誌
　　「北方文学」

　1961年創刊の新潟県柏崎市の「北方文学（ほっぽうぶんがく）」。その柴野毅
実（たけみ）編集長は、約25年前に前編集長から「北方文学」の編集を引き継
ぎました。柴野編集長は、新潟県柏崎市のローカル紙「越後タイムス」の代表
でもあった人です。早稲田大学仏文科卒で、文芸のみならず、ジャーナリズム

にも精通しています。

「北方文学」は年2回発行ですが、1冊が約350ページと分厚いです。文芸評論、小説、詩など内容も充実しており、地方同人誌としてはクオリティーが高いと言えるでしょう。

「うちは評論が多いのが特徴。みんな自分の書くべきテーマを持っているので、必然的に原稿が長くなる。私の評論も原稿用紙100枚です」と柴野編集長。作家論にとどまらず、建築論、美術史論と書き手が揃っている。新潟市中央区の北書店でも販売しているが、「難しいのか、ほとんど売れない」と苦笑いします。

ところで、「北方文学」からは芥川賞候補作が2回出たことがあります。1つは証券会社のサラリーマンが書いたものです。現在は違うが、芥川賞は以前は全国の同人誌までを含めて候補作を選んでいた時期があったのです。「故中上健次が『岬』で芥川賞をとったのが、最後の同人誌からの受賞ではないか。いつのまにか、芥川賞も商業主義になってしまった」と柴野編集長は残念がっていました。

一方で、同人には教員などが多いですが、現役のプロ作家も表現の場を求めて、「北方文学」で執筆しています。板坂剛さんもその1人です。板坂さんはプロの作家で、営業的にプロレスの本を出したり、反原発の雑誌に寄稿したりしていますが、本来は小説を書きたいといいます。柴野編集長は、「今はプロの作家でも大手の文芸誌に書くのは難しい。発表の場を求めて、地方の同人誌で書くというケースも増えている」と話します。

書き手の同人ですが、「北方文学」は会員制ではなく、「選抜制」となっています。編集長を中心に原稿をチェックし、ある一定レベルに達していなければ入会できない仕組みです。

「現在同人は約20人だが、全員入られるわけではない。3人に1人くらいしか入れない」と語ります。理由は同人誌のレベルを保つためです。

実際、同人の1人、柳沢さうびさん（女性）の原稿が「季刊文科」（鳥影社刊）という商業雑誌に転載されました。柳沢さんは「北方文学」関係者の中でも、

「北方文学」

最も大手文芸誌の新人賞の受賞が期待される人です。「北方文学」はこのように大々的に同人の募集はしていないが、口コミでレベルの高い書き手が全国から集まってくるといいます。

4．日本文学を研究し、平和を愛した「日本人」
　　ドナルド・キーン氏の記念館「ドナルド・キーン・センター柏崎」

　2019年2月24日に逝去したドナルド・キーン氏の記念館「ドナルド・キーン・センター柏崎」が新潟県柏崎市にあります。

　キーン氏の逝去後、「ドナルド・キーン・センター柏崎」は2020年4月1日にリニューアルしましたが、新型コロナウイルス感染症の関係で実際のリニューアルオープンはその年の6月10日に延期となりました。

　キーン氏は世界に日本文学や日本文化を伝える発信者であり、ニューヨークの書斎がその発信基地でした。2011年3月11日の東日本大震災を機に、キーン氏は被災地で懸命に生きる人たちを見て、日本人になりたいと日本国籍取得の決意を表明したのです。

　ドンルド・キーン・センター柏崎を運営する公益財団法人ブルボン吉田記念財団の佐藤仁理事事務局長は「しかしそれはイコール、今まであったニューヨークの拠点がなくなるということになり、それでそれ自体を私どもが引き受けようということで、そこにあった内容を全部こちらに移築し、復元しました。書斎を中心にキーン先生の業績や人となり、あるいは平和に対する思いを伝える施設となっています」と話します。

　また、佐藤理事事務局長は、「やはり日本の昔からの日本文学の良さ、それともう一つ大事なのは、太平洋戦争をひとつの契機としたキーン先生の平和に対する思いを感じてもらいたい。特に今はウクライナの問題などがあるので、平和に対する思いが特に大事なことなのかなと思っています」と語りました。

※

　ネット上には、「小説家になろう」などの作家志望者の投稿サイトが数多くあり、若年層がネットに流れていることは事実としてあるのでしょうが、電子書籍が今一つ伸び悩んでいるのは字の読みにくさもあるのでしょう。個人的にも本の活字文化は残ってほしいと思います。

IV

地域の景観と
楽市楽座

■　■　■　■　　■

江戸時代から続く上越のサメ食文化

井部真理 IBE Mari

はじめに——サメ食文化に取り組むきっかけ

サメ食文化に関する調査や講座をしていると『どうしてサメなの?』『サメが好きなの?』などと訊ねられることがしばしばあります。

ここ10年ほどは特にサメ食文化の継承に取り組んできましたが、突然始めた活動ではなく、食育を勧めたくて食の仕事を始めた私にとって、当初からずっとライフワークとしてきた食育活動のひとつなのです。この土地で先祖伝来代々食されてきた食べ物は、サメに限らずこの土地に住む人の身体に適していると考えられるからです。身土不二、身体とその住む土地の食べ物は別々ではない、大切に伝え続けていきたいと思っています。

1. 上越のサメ食の歴史

上越でサメが食べられるようになったのは、古文書によると少なくとも江戸時代からということで400年以上もの歴史があります。

『越後名寄(1756年漢方医丸山元純著)』によると江戸時代の高田藩は度重なる洪水、大雪、大地震と災害が続き、庶民は長年飢えに苦しむこととなります。そんな中、飢饉対策としてお堀に植えられた蓮とともにサメもまた庶民の貴重な食となりたんぱく源となっていったようです。

サメについて『肉ハ市場へ寄テ賤民ノ饌トス』との記述もあり、賤民(せんみん…貧しい人)の饌(せん…食べ物)であったという、経済的に余裕のない庶民の食べ物であった当時の様子をうかがい知ることができます。越後名寄にはサメ漁についてやサメの食べ方だけでなく、薬ややすりや刀の鞘など食品以外の使用方法についても記されています。

またそんな中で高田藩のサメ漁やサメ食がさらに大きく発展し、サメが飢饉対策の食べ物ではなく日常的な食べ物となるきっかけがありました。1773年に越後国の奉行となった柘植三蔵が1775年に長崎奉行に配置転換となったことが

大きく影響します。

　当時の江戸幕府は、俵物三品と呼ばれたナマコ・アワビ・フカヒレの干物を長崎経由で中国に輸出することを貿易均衡政策の一環として奨めていました。新潟から長崎に転勤となった柘植三蔵が勧奨し、サメの水揚げが多い高田藩はフカヒレを中国に輸出することになったのです。

　江戸幕府は高田藩に対し、中国にフカヒレを輸出するためのサメ漁を厳命し、高田藩は幕府のフカヒレ集荷体制に組み込まれ、海浜の各町村にサメ漁が義務づけられたことによりサメの水揚げ量は大幅に増えることになりました。

　同時に輸出用のフカヒレ以外のサメの部位は高田藩内に大量に流通し、サメ肉は高田藩内で誰もが食べる一般的な食べ物となっていったのです。

　また明治22年（1889年）に旧高田藩士の庄田直道が編集した『越後頸城郡誌稿』物産一巻の中でも、海魚─鮫─の項で深サメ（もうかざめ、ネズミザメ）を食べるようになった時期や当時のサメの呼び方（22種類）などが書かれています。

２．上越のサメ食の今

　現代でも通年スーパーマーケットや魚屋さんでサメが売られている上越ですが、年取り魚としての需要は特に高く、江戸時代から続く年末のサメの競り市ではサメ食文化の長い歴史を感じて胸が熱くなります。

　江戸時代から続くサメを使った年越しやお正月のごちそうとして、れんこんとサメ肉を一緒に煮付けた『さめの御平（おひら、煮付)』は今でもよく作られている郷土料理のひとつです（写真1）。またサメの皮をつかった『さめの煮こごり』もお正月によく作られています（写真4）。食べられている地域や家庭は減りましたが『さめの雑煮』や『さめのぬた』も郷土料理として継承されています（写真2・3）。

　とはいえ全国的な魚食減少傾向と同様に、新鮮な魚が好まれる傾向にあった上越地域でも魚の消費量と肉の消費量は2000年には逆転しています。サメの消費量も年々5〜10tずつ減少しているのです。

　ゆっくりとサメの食文化継承活動を行っていては、10年後20年後にはサメ食文化自体が消えてなくなってしまうのではという危機感を感じ、2014年の高田城開府400年イベントで上越商工会議所青年部での事業としてサメ食のリーフレット作りやサメのお店紹介パンフレット作り、サメバーガーやサメ串から揚げなどの商品開発をさせていただき、それを皮切りにイベントでの販売や自

写真1：さめの御平
さめとれんこん、当時とれた山の芋やこんにゃくなどを一緒に煮付けたもの

写真2：さめの雑煮
さめを角切りにし水から煮こんで出汁をとり、ぜんまいや大根などと一緒に煮こみ、焼いた餅を加えたもの

写真3：さめのぬた
さめの表面を湯通しし、食べやすく切ってわけぎやわかめと一緒に盛り付け、酢味噌を添えたもの

写真4：さめの煮こごり
さめの皮のスナをとり、だし醤油の中で煮てコラーゲンをだし、容器で固めたもの

店舗やキッチンカーでのサメ惣菜・お弁当販売を継続してきました。

　上越教育大学や NSG 上越公務員情報専門学校の文化祭で学生さんたちと一緒に様々なサメメニューにも取り組んできました。公民館や民間の料理教室でもサメ料理の講座が増えています。

　また上越市内の企業さんと一緒に揚げるだけの業務用冷凍サメカツを始め、お土産品にもぴったりのサメのかまぼこ、サメ珍味、サメに合う調味調などの商品開発を行い、学校給食や飲食店で手軽にサメを提供できるようになってきています。市内のお店にサメ料理は広がり、サメを食べるために上越に足を運んでくれる観光客の方も増えてきたと聞きます。

　近年いわゆる郷土料理だけでなく、現代ならではのサメ料理が増えてきました。

　学校給食や飲食店では、サメフライやサメバーガーや煮付などで提供されることが多く、ご家庭でもムニエル、テリヤキ、味噌焼き、カレーなどお手軽なメニューが多くなってきたと感じます。

　上越ケーブルテレビの情報番組の中で『上越サメ図鑑』というコーナーで毎月サメ料理を紹介させていただき、タンドリーシャーク（タンドリーチキン風）やサメのから揚げなども好評をいただきました。

　郷土料理も時代とともに時代のニーズに合わせて進化していくのだと、その結果柔軟に時代の波を越えてサメ食文化が愛されているのだと感じています。

　上越の方にとっては、子どもの頃から当たり前のように食卓にあったサメ肉なので、サメ食の取材や講演や料理教室などで『えっ？サメってほかの地域で食べられていないんですか？こんなに美味しいのに…！』『サメって日本中みんな食べてるんだと思ってました！』という話をよく聞きます。

　先祖代々サメを食べてきた上越の人々にとって、サメは間違いなくソウルフードのひとつなのでしょう。

　高田城は別名鮫ヶ城と呼ばれており、その別名は、平城のため穴を掘って築城する際に大量のサメの骨が出てきたことに由来しているそうです。鮫ヶ城は鮫城（こうじょう）とも呼ばれ、今も近隣の学校の校歌や応援歌の歌詞や同窓会名などに使われています。

　その鮫ヶ城が藩庁である高田藩の財政をサメのフカヒレが支えたこと、今も上越地域ではサメが日常的に食卓にのぼっていること、上越とサメ食文化の関係にとても深い歴史と縁を感じるのです。

3．上越のサメ食文化継承

　上越は全国でもサメ肉の消費量がもっとも高いであろうと言われている街ですが、この先もずっとサメ食文化を継承していくにあたっての課題の中で大きなひとつは、かつてサメ漁師をされていた方の高齢化が進み、上越でサメを専門に捕っている漁師さんがもういらっしゃらないことです。上越での漁法も変わってきて現在主流の流し網は、サメを捕るはえ縄漁の船がいると針が引っかかってしまい相性が悪いことも、サメ漁を行わなくなった理由のひとつだそうです。後継者不足や漁港の老朽化などの原因もあります。

　幸いにして、フカヒレは必要としてもサメ肉は食べる習慣がなかった気仙沼市とのよい関係があるおかげで、サメ産地でなくなった今もサメ肉の供給はある程度できています。ただ、サメの水揚げだけに限らず、その他の魚介類の水揚げも含め上越の水産業自体が衰退してきている現実があります。行政に対してもひきつづき働きかけをしていきたいと思っています。

　また同時に、観光に来てくださった方からのサメを食べたいという需要にこたえられるよう、サメの御土産品や飲食店のメニューなど今よりもさらに充実させていけるように活動していく予定です。

　よその市町村で行われている金目鯛マップや鰹マップのように、駅や観光施設で案内できるようなサメマップの作成やサメ食情報整理を行っていきたいと考えています。すぐにできることとして、2022 年 11 月 27 日の世界サメの日に合わせて全国のサメ食文化の街の方と繋がってオープンした WEB メディア「さめディア」での発信を進めて行く予定です。

　高田藩の歴史とともに現代に継承されてきたサメ食文化、サメ食文化の継承のバトンを託してくださった元調理師会の故・宮越正敏会長の想いも引き継ぎ、今後のサメ食文化継承のために微力ながらも未来につなげられることを考え、これからも一つずつ進めていこうと思っています。

ホンダウォークの昨日・今日・明日

石塚賢一郎 ISHIZUKA Kenichiro

1．これまでの歩み

　ホンダウォークの出発点は、明治期、刈羽村出身の石塚松三郎が美守（旧三和村・現三和区）で創業した酒の小売業店「桝屋」である。松三郎は埼玉の造り酒屋に奉公に出ていたが、帰郷後飯室（現浦川原区）付近在住のタケ（旧姓山崎）と結婚し、飯室から保倉川を渡って近くの美守に居を構え、酒屋業を営んだ。松三郎のあと石塚の家督を継いだのは長男の西蔵で、その後継は弟の寅三郎、その後継は長男の繁雄であった。繁雄は 1930 年、「桝屋本店」を名乗り、動力脱穀機など小型モーターを使った農機具の販売店を創業した。1956 年に繁雄が亡くなると長男の賢が後継となり、以後、賢の弟である和雄・新一と一致協力して耕耘機やトラクター、田植え機やコンバインなどの販売を拡大した。1960 年代高度成長期の追い風を背に、桝屋の営業はそのまま地域の農業振興に直結していった。

　だが、高度経済成長の先には、米食からパン食へと、ライフスタイルの変化が待ち受けており、政府は 1970 年以降、生産調整（減反）に舵を切っていった。米どころの三和村では、当然、米中心の農業が停滞気味になっていき、したがってそれに即応した農機具の販売は伸び悩んでいった。そうした停滞状況の続く時代の 1988 年、賢の長男賢一郎が後継ぎとして入社した。

　1988 年、ホンダウォーク（上越市）の源流に当たる桝屋本店に後継ぎとして入社した石塚賢一郎（ホンダウォーク現社長）は、「農機具屋は足で稼げ」を座右のモットーとして仕事に勤しんだ。しかし、時代はすでに久しく米産からシフトしていた。そこで 1992 年に一念発起し、取引先の自動車業ホンダ（東京）と特約店契約を結んだ。すでにダイバーシティ・マネジメントにチャレンジしていたホンダの商品である芝刈り機や除雪機、発電機といった一般消費者向け製品の販売に着手したのだった。しかも、時代のトレンドとなっていたネット販売とドッキングさせた。2000 年のことである。その際、ネット販売の店名を

「ホンダウォーク」とした。5年後にはホンダウォークを法人化した。製品リコールなどに際して遠隔販売上の困難は様々に発生したものの、「販売した商品に責任を持つ」の精神を会社の内外に徹底させ、事態を乗り切った。

2．今日この頃

　2009年には、上越市飯にホンダウォーク上越店を開設し、11年には店舗名を「耕す」という意味の「PLOW（プラウ）」に変更した。新分野開拓のファンファーレであった。14年に上越市富岡に移転した上越店は、同社最大となる約千平方㍍の店舗面積を誇った。ネット販売の物流拠点のほか、多機能店として修理工場をも併設した。ネット購入者からは商品使用上の不具合や故障、その修理・改善方法の情報を求める連絡が、日に数十件は届くようになっていった。2000年から開始したネット販売も最初のうちは競合他社も居なかったが時代の流れとともに乱立するようになり、ホンダの汎用製品（発電機、芝刈り機、除雪機など）の国内仕入れ製品は価格競争に巻き込まれて販売台数も激減していった。

　そして2011年3月11日の東日本大震災直後に運命的な出会いがあった。ワールドツール（アストロプロダクツ）の中島社長との出会いが、その後のホンダウォークの運命を変えることになる。型番商品（国内仕入れ）だけを取り扱っていても価格競争になるだけと思っていたところにアストロプロダクツという工具を低価格で販売している中島社長から中国の展示会のお誘いを受けたのだ。そして広東省の広州市で大規模な展示会に同行し度肝を抜かれた。東京ビックサイトの数十倍もある展示会場にはホンダウォークが必要としている機械製品が星の数ほどあり、しかも仕入れの価格も想像を超えた低価格であった。それから毎月、中国に出向き、商品を仕入れするスタイルに変わった。いわゆるプライベート製品の誕生だった。プラウというブランドを浸透するには店名だけでなく、オリジナルの製品は不可欠だと思っていたので渡りに船だった。主力の薪割り機を中心に、設計は自社で製造は中国の工場でのスタイルが確立されていったのだ。そして店舗展開も積極的に行った。

　まずは県内の長岡市、そして新潟市、県外は福島県会津、山形県南陽市そしてまた県内の新発田市そして長野県安曇野市と出店を重ねていった。薪割り機は2015年を過ぎたあたりで日本最大の薪割り機のメーカーになっていった。ユーチューブなどの動画から情報を発信して多くのユーザーを獲得していった。プラウ顧客層は40歳以上の男性客がメインであったが、コロナ禍でテレワーク

が出来るようになると別荘地や地方移住で仕事が可能になり、自宅での時間を
より充実させようといった需要が増え、薪ストーブの導入、家庭菜園、庭いじ
りなど、プラウの野外仕事をもっと楽しく、ライフスタイルが大きく変化した
のが追い風となってきている。

　またよく年配の方はデジタルが苦手だからインターネットで物は買わないと
か、ネットサービスを利用しないと言う方がいるけど、それは一昔前のことだ
と認識している。ユーチューブのアナリティクスを見てもプラウチャンネルの
年齢層は 65 歳以上が全体の 35％を占めているし、45 歳以上だと 80％を超えて
いる。今の年配者はインターネットに精通している方が殆どで、プラウの強み
である修理技術力と発信力をオンラインとオフラインで共通化していくことで、
コスト削減と働くひと不足の問題を解決できると思っている。

3．将来の展望・計画

　実は新発田店を無人化店舗として 2023 年春にリニューアルオープンをする。
リアルの店舗はショールームとして実機の確認、購入はネットで……。商品説
明などの接客希望の方々向けにオンライン接客をすでに導入した。マンツーマ
ンでリアルの店舗のプラウスタッフがカメラ越しで商品を見せながら説明でき
る仕組みである。これにより、顧客は自宅に居ながら店舗にきているかのよう
にじっくりと接客を受けることが出来るのだ。プラウ側にもメリットが多く、
店舗スタッフの確保の心配がなく、その時間帯で手の空いている全国のスタッ
フが対応できる。また接客レベルの向上にも繋がり、生産効率が格段に上がる。
円安が状態化している昨今、予想ではあるが、1 ドル 110 円以上の円高は来な
いと個人的には思っている。経済学者ではないので根拠はないが、日本の国力
と今の政治ではそうなるのは必然だ。

　そこで、もっとグローバルにビジネスを展開していくことが必要だ。輸出を始
めることにした。幸い、メイドイン上越の認証を取ったマサカリ（鉞）ブランド
の国産薪割り機を開発してすでに販売している。これを手始めに世界に向かって
発信する。もちろんネット販売だ。日本の人口は、2021 年だけでも 1 年に 64 万
人減少している。それを見ても、国内市場だけではジリ貧になるだけである。

　まとめ。プラウは新たなチャレンジをやり続けていく。長男の祥平には、守
りに入ることなくチャレンジし続けて行ってほしい。

上越の産業経済の明日を作る
（人作り、もの作り、価値作り）

塚越　繁 TSUKAKOSHI Shigeru

1．はじめに、自己紹介

　私は、昭和24年（西暦1949年）7月生まれの団塊の世代の一人です。上越市（旧高田市）の東本町2丁目で生まれ、東本町小学校、城北中学校、高田高校を卒業するまで同市土橋で過ごしました。東京の大学を出てから建設機械メーカーで欧州とアフリカでの発電機の販売をした後、1982年に立川市で起業し、現在3つの会社を経営しています。

　1社が貿易会社、1社が製造業で、残り1社が特許や貿易のコンサルティングと自社工場の不動産の管理をしています。今回、その内の2社、コンテックス㈱ ―（1982年1月創業）日本製の電気・電子、機械部品の海外向け輸出商社と謙信テクノロジー㈱ ―（2010年3月創業）メカロトニクス部品（カウンタ等の制御パーツ）を山梨県の都留市の工場で製造している経営者の視点から本課題に取り組みます。

　弊社グループの主要市場は、機械を作る中・先進国で、米、欧州、アジア、オセアニアにある、工作機械、産業機械、ゲーム、アミューズメント機械などの最終製品を製造するメーカーが顧客です。社員数は、5名です。SMALL IS BEAUTIFUL の例えがあります。㈱京セラの創業者の稲盛会長のアメーバ経営を実践しています。

　自社の社員数は少ないですが、主として関東甲信越にパートナー（協力）企業があります。山梨、新潟、長野、東京、神奈川、埼玉、群馬、富山各県にある小規模の加工工場に、自社製造の金型を貸出し、必要部品を生産委託し、出来た部品や半製品を受け取り後、完成品に組み立て、検査をし、主に、航空機にて海外市場に出荷しています。取引国は約30ヵ国です。

2．問題意識

　何故、今回の21世紀の上越スタイルについて、投稿を考えたかの理由の説明

をします。

　一言で言うと、現在の日本の地方で生じている、地方経済、産業の空洞化を上越に於いても見てとれ、これを克服する方法を考え、提案し、皆さんと力を合わせて、上越地域で「価値作り」即ち「価値の創造」を行い、産業経済を盛り上げてゆきたいからです。「価値創造」とは、「付加価値の創出」のことでもあります。産業力、平たく言えば、「稼ぐ力」をつけることです。上記の弊社2社は上越商工会議所のメンバーであり、生まれ故郷の上越地区の企業とのビジネスを開拓し、私は、微力ながら故郷貢献をしたいと考えています。

　東京地区では、東京ビッグサイトなどで日本の中小企業が出展する展示会が開催されます。

　上越地区からは、上越鉄工組合などの企業がグループ参加をして、日本の各地とのビジネスの展開を図っています。その努力は尊いのですが、しかし、必ずしも費用対成果の点からは満足できる結果を挙げているとは見えません。上越市の製造業数は少なく、また他県と比べても特にこれが強みを言える業種が少なく、また若年労働者が質・量とも足りないと思っております。

　例えば、発注者としての弊社にとって、長野県や新潟県の燕三条や長岡、浦佐などと比較すると、パートナーとして一緒にビジネスが出来る企業数が圧倒的に少ない現実があります。ここで問題となるのは、「卵が先か、鶏が先か」の議論となります。中学や高校を卒業後、上越圏外に学びや就職で出た若い人は故郷上越に戻り就職しようとしても、受け皿たる企業数や就職先が少なく、本来生まれた土地に戻り、地元企業に就職し、生活を営み、所帯を持ち、人生を送る機会が作られていないことが問題としてあり、これは皆認識しているところであると思います。

　全国的視点から日本の現状を見てみましょう。日本全国の地方は中国、台湾、韓国、東南アジアからの製品開発、生産技術に関して追い上げられている現実があります。新型コロナ禍とウクライナとロシア間の戦争の結果2020年2月より、必要な部材の高騰、調達難、納期や物流の遅れ、サプライチェーンの崩壊、エネルギー危機、食料危機等の問題があります。

　一例として熊本県に半導体工場を新設するなどの動きがある一方、国内回帰を逡巡している企業が多くある事も事実です。理由は少子化に伴う、若年労働者不足の問題が背景にあると思います。現在、国内産業を残そう、育成しようとする大中企業が上記の熊本県以外に、山形県、福島県、茨城県等に工場を新

設するなど、拡張する動きがあります。残念ながら、上越地域はそのような投資の対象になっていません。これで良いとは思いません。

3．提案

　では、どのようにすれば、上記の問題を解決できるのか？　どのような提案があるかについてです。主な課題はたくさんあると思いますが、ここでは、ヒト、モノ、カネの3点に絞って考えることにします。

(A) 第一に、ヒトについてです。

　義務教育の中学を終えて就職する人もおられるでしょうが、ここでは、高校を卒業し、進学や就職をする若い人を対象に考える事にします。即ち、仮に彼らが県外にその場を求めても2年後、3年後、4年後故郷上越に帰り、就職できる働く「場」の提供、確保の問題があります。働く場が圧倒的に少ない現実があります。

　此処では、上越市、上越商工会議所、各産業、商工組合、金融機関がプロジェクトチームを作り、現在上越市が持っている余剰施設（空き家も含めて）を格安に進出企業に貸し出し、法人事業税や固定資産税を例えば5年から10年減免或いは無料にするなどのスペースの提供は税の優遇策等の支援策をする事を提案します。先ずは、労働市場のパイを大きくすることだと思います。

　では、不足する労働者に対する基本的な教育の問題をどうするかについてですが、現在上越にあるテクノセンター、ミュゼ雪小町等の研修センターを使うことで場所は確保できます。大学や短大、専門学校を終了した若い人を更に2年程集中的に職業訓練をする事で進出企業の人材（単に人手ではなく）ニーズに対応する事が必要となります。

　進出企業にとって現在必要な人材は、IT、IoTに強い人材、生産、製造に関しての基礎的な知識を持つ人材、生産、品質、検査工程、調達管理、欧米規格、環境化学物質に関する知識を持つ人材です。これらの科目をこれ迄のテクノセンター等で提供している科目に加えて集中的な教育を行い、一定の成績や成果を上げた受講生に修了証を発行し、人材紹介時に有効活用する事が考えられます。上越市がその能力を保障する事になり、いわば、人材バンクを作ることになります。

　その為、一旦地元を離れ圏外での学業を終えるかたの名簿をつくる等上越市

はリクルート活動を行う必要があります。県外での生活を経験した人は、その中大都市生活の良さ、悪さを認識します。その中でも、生まれ育った上越での就職や生活志向の若い人がおられます。幼少時代からの人とのつながり、衣食住に於いて、都会より恵まれた環境にある上越を、人生を営む上で、選択する若いかたは少なからずいると思います。

　上越市の行政当局は既に現在、故郷へのリターンを考えている若年者へのサポートを色々しておりますが、それに、ヒトの育成、人とのつながりを作り支援し、企業誘致をすることのシステム化をする事が必要となります。

　その際に求められることは、ヒトへの教育、育成です。現在全国に高等専門学校（いわゆる高専）は 47 都道府県に 57 校あります。熊本県には 4 校あり、2022 年に熊本県に対して半導体製造の工場設立の新規投資が決まりました。これは、この 4 校の高専にて平行して半導体製造工場に於いて戦力になるような若手技術者の養成も勘定にいれているとの事です。政府や民間企業が融資や投資を決める際に人、人材の確保や供給体制を当然考慮します。最初は、市の人材養成事業から始めて、ゆくゆくは、上越に新規の高専を作る誘致するのは如何でしょうか？

　新潟県の長岡には、既に長岡高専があります。では、長岡高専が地元長岡市、ひいては新潟県の産業の強化に役に立っているかの問題があります。答は「否」です。約 90％の卒業生が大学院に進学するなどをするしないに拘わらず結果として新潟県外に流失しています。つまり、これでは、場所を貸しているだけで終わっています。

　何故このような事が生じているのでしょうか？ 理由は、長岡高専、その進学先である長岡技術科学大学を地元新潟県全体の産業に生かそうとする発想が無いからです。いわばプロジェクトマネジメントの戦略、計画、実行がありません。加えて、長岡市の土地柄もあります。即ち、地元長岡市の企業優先で、新潟市、燕市や三条市や上越市の企業との連携を取ろうとする考えが希薄であり、これが、新潟県の産業の停滞の原因でもあると考えます。特に、長岡人によれば、米山さんから南の上越地域との連携・連合は全く考えてもいないようです。

　このように、上越に産業を作る事に於いて、地元にヒトを継続的に養成し、進出を考える企業のニーズに応える教育機関や方策が十分ではない状況だと思われます。

（B）第二に、モノの問題があります。

　モノをインフラに置き換えて考えてみましょう。現在は、世界のどこにいても IoT のインフラが整っている限り、リアルでなくても、オンラインでの仕事や教育訓練を受ける事が出来ます。5G などの高速通信網の整備は企業誘致の際の、強いアピールポイントになると考えます。同時に IT に強い人材が確保でき、CAD、CAM などのソフトを使い、設計や試作が出来る人材は、貴重です。

　また、生産、製造、品質管理や工業規格、環境化学物質、カーボンニュートラル等のサプライチェーンや SDGs に関する技術の修得はオンライン教育の受講や対面式の教育を受ける事によって可能であります。上越に高速インターネット網を作るのは如何でしょうか？ 既に、あれば、それを常にバージョンアップしてゆくことが求められます。

（C）第三に、カネの問題があります。

　一言で言えば、上記の２つの事を行っていく上で、大きな資金は必要ではないと思われます。現在使われていない施設・設備を使い、ヒトを育てながら、雇用機会の拡大を行い、また高速通信網も政府や県との協働と予算確保により行えば良いことであります。

　例えば、誘致する企業との取引を考え新規事業を起図したり、他県や世界相手にビジネスを試みようとするスタートアップ企業への資金的な支援と共に、試作する際に必要となる 3D プリンター等の設備を持つラボを作るベンチャー等への資金提供や経営相談、取引先の開拓や紹介等の支援が望まれます。

４．実行

　スタートは早ければ早いほど良い。ヒトの育成には、お金と共に時間がかかります。長期的な視点を持って取り組む必要があります。10 年計画で考えると、現在小学校 6 年生の子が、中学 3 年、高校 3 年、大学、短大、専門学校等の期間を 4 年とすると 10 年です。現在小学校 6 年生がこれ迄のシステムと流れに沿って育ってゆくと、地元の産業経済に貢献できる戦力となる人材にならずに他県に流出してしまいます。これでは、上越地域の「価値創造」は出来ません。更に過疎が進みます。早く始めたいですね。

5．将来展望

　上越にある教育機関を基に、上越に高等専門学校（高専）を作るのは如何でしょうか？　更に進んで、大学や大学院も作りたいですね。こうなれば、上越地域以外に有能な人材が流出する必要が無くなります。先行事例として、三条市にある三条市立大学、長野県長野市にある長野県立大学、上田市にある長野大学、諏訪市にある公立諏訪東京理科大学等のような地元密着大学や大学院設立につながれば、有能で強固な人材の育成が出来ると考えます。

à la carte

鵜の池／大潟区

村屋のさくら／吉川区

東日本大震災復興願う絆の雪白づくり／
三和区

（松井隆夫撮影）

イチョウで故郷の景観づくり活動
渡邊英夫

佐藤秀定 SATO Hidesada

　上越市の中山間地牧区樫谷に住んでおられる渡邊英夫さんは、1943年地元に生まれ今年79歳です。天気の良い日は唱歌の歌詞のように「―ある日せっせと野良仕事―』と精を出されている元気なご高齢者です。「まちぼうけ」の歌のようにのんびりとした環境の山村で暮らしておられますが、忙しく働いてもおられます。

　力を入れているのが "イチョウの景観林づくり" です。作業は多岐にわたってあります。土地の確保、整地、苗木づくり、移植、草取り、雪や風に対する保護作業など、休む間もなく繰り返し続けなくてはなりません。もっとも辛そうなのが移植のために穴を掘る土木作業です。縄を張って区画をつくり、位置決めをします。1㎡に一箇所ずつ30cmほどの穴をシャベルで掘ります。身体障害もお持ちなので、よろけてしまいそうになる自由にならない身体をうまくコントロールしながらやっておられます。見ていて心配なほどですが、本人はいたって前向きです。信念をもって明るく取り組んでおられます。21世紀のその先、子々孫々までを見据えての美しい故郷づくりの大事業と自覚されているからでしょう。

　15年かけて育てたイチョウの木の本数は樫谷地区5か所に約1000本にもなりました。初めに植えたイチョウの木は、数は少ないけれども高さ8mほどにもなっています。秋には小さくともきれいな黄色の葉が、周りの枯れた褐色の景色の中でひときわ生き生きと美しく見えます。

　渡邊英夫さんは地元の小、中学校から高田高等学校、新潟大学を卒業。1965年（昭和40年）農林省（現在の農林水産省）に入省。農林省農業技術研究所作物栄養科研究員としてお仕事をされ、1968年（昭和43年）に国際稲研究所（在フィリピン）に留学。その後JICA専門家としてインドネシアや西アフリカのコートジボワールなどで稲作の技術指導や研究をされ、退官後も希望されていた国際的な会社で海外プロジェクトに就き、中国・スロバキア・バングラデシュ・ガンビアなど多くの国で活動されました。

　退職後の2007年（昭和19年）に故郷である上越市牧区樫谷にご夫婦で戻ら

2020年5月　まだ小さなイチョウ林

　れました。お米は他人から作ってもらっています。ご自分では生活に必要な分
だけの野菜づくりを家の周りや近くの畑でしています。
　都会に居を持ちながらも、樫谷の雪深い20年も空き家となっていた実家に戻
られた訳はひとえに、故郷を子孫に残してあげたいからです。それも、もう一
度美しいよき故郷として蘇らせて次の世代に繋げていくためです。
　『共同景観林の視点』と題した計画の要点をまとめた渡邊さんのノートには「農
村にいる現在の我々世代は、父祖伝来の土地で両親・祖父母の懸命な努力によっ
て育てられてきた・我々は、農山村の美しさ、土地を耕す苦労、収穫の楽しさを
身をもって感じている。しかし、その後、社会の変動により農山村は荒れ果てて
しまった。我々の子供・孫は、かつての美田・美林を全く見る機会がなく、荒廃
した農村を先祖の農村環境と勘違いしてしまうのではなかろうか。農村を再活性
化させるのは、自然や田畑を先祖から受け継ぎ、後の世代に受け渡す立場にある
現代の我々の義務である。いわば、『再開発者』である」と書かれています。
　そしてイチョウの景観林づくりについては「イチョウは、東京、大阪および
神奈川の三都府県の樹木に指定されているとうり、街路樹等でその美しさが広
く市民に親しまれている。景観林でもその美しさは変わらず、青空を背景に輝
く明るい黄葉、地面に散り敷く『黄金の絨毯』は、総ての人々に楽しい晩秋の
想い出を与えてくれる。イチョウの景観林は、場所により、素晴らしいアウト

2018 年 6 月
渡邊英夫さんご夫婦
樫谷の自宅にて

2019 年 8 月
令和元年に始めた眺め
よく広い移植地。「令
和園」と名付けた碑

令和園

美と愛に生きる

ドアアートになり、農村の景観美を形成し農村への来訪者を招きいれる機会と
もなる。今後、高い潜在力を持つ自然美として育てたい。」と。そして、それは
この地域の実情に適合した施策と考えておられます。

　2007 年から取り組んで 15 年、今までの実績として、ご自分の土地のほか地
元の協力者 7 名からも土地を借用して、樫谷地区内に大きく分けて 5 か所で約
1000 本のイチョウが育っています。

　今後も、地元の住民に理解と協力を得ながら仲間作りをして、共同で取り組
み続けていきたいと望まれています。そのために『イチョウ景観クラブ』とい
う計画案を立てられました。集落内の協力の一層の推進と共に、集落内の協力
者だけの作業能力は極めて限られたものであるため、これからは特に集落外の
協力が重要で、そのための受け皿整備が不可欠課題であるということです。ど
こにも共通した課題で難しいことです。

　しかし、この大事な活動が途切れないようにと私も思っています。そのため
には、こういう取り組みを頑張ってやっていらっしゃる人や地区があることを
知っていただくことが必要です。「できるだけ多くの人々に知らせてほしい」と
の渡邊さんからの要望も受けて、いくつかのメディアの方々にも紹介しました。
幾度となく取り上げてもらっています。そんなこともあって少しずつ認知され
協力の輪が広がっている気がします。

わたしは 2016 年に渡邊さんと出会って依頼、折に触れ記録映像としてビデオ撮影させてもらっています。まだ公開はしていませんが、一部は関心のある方々に話の参考として役立ててもらっています。現在までに 38 回分の記録映像があります。渡邊さんからも多くの資料をいただいています。21 世紀を越えた未来において、この記録映像と資料が価値あることとして遺ったなら、この渡邊さんのイチョウ景観林づくりプロジェクトは成功したこととなっているのでしょう。そう願っています。

左：金谷山スキー場、女山頂上のレルヒ像
右：金谷山スキー場男山、「大日本スキー発祥の地」記念碑
（藤野正二撮影）

消防出初式／板倉区
（松井隆夫撮影）

仲町6丁目（大鋸町・寄大工町）の
昨日・今日・明日

石塚正英 ISHIZUKA Masahide

1．松尾芭蕉の来訪

　戦後のベビー・ブーム期、仲町6丁目に生まれた私は、この町内のここかしこで過ごした思い出をかかえたまま高齢者になりました。線路わきにあった空き地で遊んだ「いったんベース」。これは、軟球のゴム球をいったん地面に叩き、その跳ね返りでゴム球を遠くに送って出塁する野球です。たしか三角形の塁でした。浅渓院や林西寺の境内ではエシタ（メンコのこと）やビー玉で真剣勝負をしました。勉強しないから叱られたという記憶は、あまりありません。「おさんのさん」（5月の日枝神社大祭、青葉祭り）や祇園祭（7月の八坂神社大祭）では子ども神輿や灯篭などを持ちだして町内の内外を練り歩きました。そのような思い出の詰まる仲町6丁目の「昨日」について、以下に記します。

　高田藩時代、わが仲町6丁目は大鋸町と寄大工町に分かれていました。そのわが町に、1689（元禄2）年7月8日（新暦8月22日）、松尾芭蕉が来訪しました。寄大工町の医師細川春庵宅に3泊して俳諧を催し、「薬欄にいづれの花を草枕」を詠みました。

　その後、昭和5年の大改正によって大鋸町と寄大工町が「仲町6丁目」として一つの町名になりました。さらに昭和37年の「住居表示に関する法律」に従って、番地が改められました。

2．NPO活動と民泊事業

　1989年からの平成年間、仲町6丁目の人口は徐々に減少していきました。この傾向は平成20年代にはやや緩みました。この頃は町内を勇気づける活動が活発でした。例えば60歳前後の女性数人で始めたおしゃべり処「よってきない」で食事や歓談、という町内外住民間の交流が目立ちました。「よってきない」はその後解散し、町内は再び静かになりました。けれども、平成26年から私自身が拙宅（屋号「大鋸町ますや」）を事務所にしてNPO活動を開始しました。頸

写真1　我が町内の足跡を刻む手づくり生活誌『大工職人の雁木通り史』

城野郷土資料室です。

　平成から令和に切り替わる頃からは市外・県外から移住して民泊事業（住宅宿泊事業）を開始する人々が現れました。趣旨は、観光旅客の宿泊ニーズが多様化していることなどに対応するためとのことですが、町内は流動的な要素を引き受けることとなったわけです。こうして、「よってきない」で活気づいた町内住民のコミュニケーションは、確実に今日に継承されています。

　その民泊サービスの事業主である原理佐さんは、以下の体験談を語っています。「高田の『ちょうど良い』コンパクトさを気に入り、雁木のうつくしさを高く評価し、（旅の方の言葉をお借りすれば）華美な装飾の多すぎる騒々しいゴミゴミした軽薄な観光地ではなく『無添加』なこの上越をとても素晴らしいとパリやロンドン、ウィーンにシドニー、バンクーバー、上海と、一度は誰もが憧れたことのある大都会から来た人たちが口々に言い、滞在をのばされるのです」（『大工職人の雁木通り史』頸城野郷土資料室、2020 年刊から）。（写真1）

　私自身は、2008（平成 20）年から NPO 事務所で「ますや de お話し会」を継続しております。以下は最近のテーマです。「日時計の小話―最古の歴史と上越の事例―」、「越後高田の雪下駄」。2023 年 5 月で 40 回となりました。

3．〔芭蕉ハーブ〕という 21 世紀スタイル

　仲町通りの裏手には儀明川が流れています。現在は車が通る幅を有していますが、その昔は舗装されずに徒歩で行き来するくらいでした。この土手伝いをもう一つの文化交流の場とすることはできないか、その構想を、私は「仲町 6 丁目の明日」として思い描いております。仲町通りから儀明川までは町家が〔ウナギの寝床〕のように存在しています。この空間を雁木からでなく土手からと

らえ直してみる、という発想の転換です。これまで関心を示さなかったバック
ヤードの有効活用です。それを通じて、積雪時期の対策もふくめ、昔の生活を
継続したままで住み続けられる雁木町家を守っていく発想が生活文化財を守る
ことに通じるのです。

　そこで一計を案じました。元禄年間にわが町にやってきた松尾芭蕉とのコラ
ボレーションです。医師細川春庵宅の薬欄つまり薬草園にあやかって、銘々に
好きなハーブを植えた鉢やプランターを個人負担で用意し玄関前に置く。儀明
川の土手近くにハーブ花壇をつくるのも趣がある。いずれにも、〔芭蕉ハーブ〕
と書いた銘板（雨にも大丈夫なもので自由に作る）を立てる。あとは枯れない
ように世話をする。行き交う人たちに自然色の香りをプレゼントする。2025 年
には上越市市制 20 年の画期を迎えます。その記念企画〔21 世紀の上越スタイル〕
の一端にできれば幸いです。（写真 2）

　この〔芭蕉ハーブ〕企画から、いったいどんな〔21 世紀の上越スタイル〕が
展望できるでしょうか。①〔芭蕉ハーブ〕は、植物としては新種でないですが、
上越の過去と現在そして未来を文化的に繋ぐ意味で、明らかに新種なのです。「芭
蕉」も「ハーブ」も知らぬはずはありません。しかし〔芭蕉ハーブ〕は、上越
の歴史と自然を取り結ぶ、〔21 世紀の上越スタイル〕を象徴するオンリーワン
文化なのです。

写真 2　我が町内で芭蕉
が詠んだ一句「薬欄にい
づれの花をくさ枕」にあ
やかってのネーミング
「芭蕉ハーブ」

芭蕉ハーブの旅

小島雅之 KOJIMA Masayuki

　芭蕉と聞いて私が真っ先に浮かぶのは「閑さや岩にしみ入る蝉の声」の句だ。「おくの細道」で初めて知った時は、その洗練された粋な表現に感嘆し、一瞬で忘れられない句となった。道中に今の上越市を訪れた芭蕉の生没年と上越市市制の節目を迎えるにあたって街に芭蕉ハーブを飾ろうとの声掛けを頂き、我が家も加賀街道沿いの職場に小さなプランターを設置した。高田の細川春庵亭で読まれた句が「薬欄にいづれの花を草枕」であるから、その盆栽といったところか。夕方の水遣りを繰り返すうちに芭蕉という人をもっと知りたくなり調べ始めたら、その生涯や考え方に共感しすっかり魅了されてしまった。

　生活苦のために働き始めた藤堂家で俳諧に出会い、29歳で江戸に出てからは水道工事をしながら俳諧師としての下済みをしたが、賞金稼ぎ目的の点取俳諧には参加せず、ときには俳諧をやめようとか人より優れたものを残さなければいけないという思いと葛藤しながらも、地道に独自のスタイルの蕉風俳諧を確立していった。

　旅して自ら感じたことを句で表現することに拘り、46歳の時に深川の芭蕉庵を売り払って「おくの細道」の旅に出る。冒頭の句は出羽国（現在の山形市）の立石寺の山頂で読まれたもので、不変と変化が互いに調和し統合しあう「不易流行」を体感して作った名句と言われているが、直江津今町の次に高田の細川春庵を訪ねたのは1689（元禄2）年7月8日（新暦8月22日）なので、ひと月余り後である。春庵亭での句には、お持て成しへの感謝と「不易流行」に目覚めて長旅の疲れを癒せる安堵した気持ちを私は感じた。

　芭蕉はまた、和歌や漢詩の知識や教養がなくても誰にでも理解できる十七音のみの表現「かるみ」に拘った。句に限らず凡そ名作と呼ばれているものはシンプルなものが多い。それは、単純なのではなく、作者が経験努力を積み重ね、感性・知識・才能をフル活用し、試行錯誤しながら作り上げたものであり、万人が共感する場面や思いを分かり易く魅力的に表現出来ているからだと思う。

思えば芭蕉の時代は、自らの作品を発表する方法は会場か手書きの書しかなかった。今は様変わりしてインターネットで誰でも世界中に文字動画音声を発信できる。しかし、五感で感じる喜びや人との関り、生き甲斐といった心の豊かさは今も昔もさほど変わっていない気がする。そして更に宇宙や量子に目を向ければ計り知れない未知に気付かされる。21世紀の上越市は、古今の世界と繋がりながら心豊かに暮らせる街、世に必要とされる街、魅力的で何度も訪れたくなるような街であって欲しい。

上越市民に手渡される芭蕉ハーブの苗

わが町の芭蕉ハーブ

竹澤敏江 TAKEZAWA Toshie

　今年（2022 年）の春先、自宅前の雁木でばったり石塚先生にお会いした時、先生からとても興味深いお話を聞いた。

　その昔、わが町内にかの有名な俳人松尾芭蕉さんがやってきたこと、そして彼が体調を崩し、我が家の近所の医師のもとで三日間を過ごしたこと、その医師の自宅の裏庭にはたくさんの薬草が植えられていたらしいことなど、初めて聞く話ばかりだった。

　驚いてしまった。まさかこの町内にあの芭蕉さんが立ち寄ったとは‥いったい、どんな薬草を処方されたのか、ちゃんと元気を取り戻したのか、とか当時のことをいろいろ想像してみると、なんだか遠い昔のことなのに、すごく彼に親近感を感じてしまった。

　その後、石塚先生から、「わが町内の有志でハーブを育てて、それを『芭蕉ハーブ』と名付けましょう。芭蕉にあやかって町中にたくさんハーブがあったら素敵じゃない？」という提案が。もちろん私は大賛成。早速ホームセンターでプランターやハーブの苗、培養土などを準備した。

　とはいうものの、ハーブ栽培はまったくの初心者の私、一体どんなハーブを準備したらいいのやら。とりあえず、なじみのあるペパーミントやローズマリー、レモングラス、バジルなどなど、香りもよく料理やハーブティーにも使えるので、そのあたりの苗を購入。店舗によっては、アジアの熱い国々のエスニックなハーブなんかもあったりして（マニアック！）もう舞い上がってしまい、栽培方法も分からないままいくつか追加購入。（何故か苦手なパクチーまで買ってしまうという謎の現象も）少しずつそうやって芭蕉ハーブが増えていった。

　そんなふうに私のハーブ栽培が始まり、すぐに暑い夏がやって来た。毎日の水やりは正直大変だった。ちょっと水やりが遅れるとすぐに元気がなくなってしまう。でも、とにかく水やりを欠かさなければハーブ達は日に日にグングン伸びる。時々伸びすぎた枝などを手入れしていると、ご近所の奥様方が通りす

芭蕉ハーブ園（ますや雁木 2022 年）

がりに、「あら、いい香りねえ。」「これは何？」などと、声をかけてくださる。
それがまたなんとも嬉しく、ハーブ談義に花が咲くこともしばしば。

　私の一番のお気に入りは、なんといってもレモングラス。レモングラスはイ
ネ科の植物で、タイやベトナムなどで栽培されており、タイカレーなどの 料理
やハーブティーによく使われていると聞いた。その名前からわかるように爽や
かなレモンのような香りが特徴で、香りは細長い葉っぱを切ると香ってくる。
そして暑さには断然強い。今年の夏も大変暑かったが、このハーブは噂にたが
わず元気いっぱいだった。

　だが、残念なことに日本では冬越しが難しいらしい。そこで、気温が下がっ
てきたころ、試しにペパーミントと一緒に生の葉っぱでハーブティーを淹れて
みたら、これがすごくおいしい。細長い葉を洗って２センチ位に短く切り、ペパー
ミントの葉と一緒に（量は適当）ガラスの急須に入れて熱湯を注ぐと、お湯の
色がだんだん黄色っぽく変化してくる。少し蒸らしてカップに入れ、ふうふう
しながら飲む。すると、なんとも爽やかな香りが鼻を抜け、その後しばらくレ
モンに似た余韻を感じる。ガラスの茶器を使うと、目でも楽しめるし、これは
もうハーブティー専門店にも引けを取らないレベルだ。

　レモングラスの根元に近い方は料理に使うといいらしいので、最近オンライ
ンで習い始めたベトナム料理に使ってみたら、これまたびっくり。以前我が家
にホームステイしていたベトナム人のアンさんが作ってくれた料理と遜色ない

くらいに美味しい！

　茎は少し硬いので、刻んで使うと香りもよく出るし、ヌクマムというベトナムの調味料とも相性抜群。目をつぶればベトナムの街角にあるお店にいるんじゃないかってくらいのレモングラスの存在感と香りに、ハーブの力ってすごいなあと感じた出来事だった。

　まだまだ素人なので育て方やハーブの使い方などの課題はあるものの、ハーブは、(種類によるかもしれないけれど)雁木のプランターでも育てることができた。

　春が来て暖かくなったら、今度は和のハーブもぜひ育ててみたいと思っている。何がいいかな。調べてみよう。

　芭蕉さんは、「和風？　いいねえ！」って言ってくれそうな気がするし、絶対に雁木に似合うのではないかな、と思う。また一つ楽しみが増えた。

à la carte

東頸城の山並み
(高野恒男撮影)

岸壁のシルエット／
直江津地区
(佐藤秀定撮影)

芭蕉ハーブのプランターづくり

佐藤秀定 SATO Hidesada

　「芭蕉ハーブ」は、NPO法人頸城野郷土資料室の理事長石塚正英さんが2022年春から企画推進しています。松尾芭蕉は1689年7月8日に上越市仲町6丁目寄大工町に来て、医師細川春庵宅に3泊しました。俳諧を催し「薬欄にいづれの花をくさ枕」を詠みました。医師細川春庵宅の薬草園と芭蕉の句にあやかった企画です。「芭蕉ハーブ園とプランターで町家雁木を香しく演出しよう！」と呼びかけています。

　7月9日に苗をいただいてから毎日水くれをして育てて、8月15日にやっとプランターに移しました。「芭蕉ハーブ」の銘板も立てました。芽出度し！ 愛でたし！ めでたし！ でした。

　その後はあまり丈が伸びませんし、数も増えないし、美しくもなりません。

30cmほどの高さで止まり、実がなりません。実の着かない一年限りのハーブだそうです。11月に入ると葉が黄色く枯れかけてきました。

これからのこと

来年は、もっと大きく長く美しく咲く、多年草のハーブに変えた方がいい気がします。

広める運動を呼びかける説明の標識は、もっとデザイン的に洗練され、統一されたものがいい。また、分かりやすく感じのいい、活動のネーミングづくりも大事。仮には「芭蕉ハーブのプランターを広げる会」。固有マークやロゴもあるといいとおもう。

広がりとともに、参加されている方の名簿作りと、年数回の集まりもできるようになると楽しそうだ。

活動の広がりや、出来具合の話の他、関係する人物、場所、出来事や情報を集めて、調査、精査して、まとめることで新たな文化研究にもなる。

まとめ

芭蕉も、ハーブも関心ありませんでしたが、この呼びかけのおかげでいろんなことが次々に分かってきました。思いがけず郷土の歴史の一端を知るきっかけとなり、それは続いています。①芭蕉が高田まで来た事。②仲町6丁目医師細川春庵宅に3泊したこと。③俳諧を催し「薬欄にいづれの花をくさ枕」を詠んだこと。④寺町「高安寺」に芭蕉翁の碑があること。⑤細川春庵は「雪下駄」の発案者でもあったこと。そして最近分かったことは⑥芭蕉は越後に入って病にかかったこと。そんなことも考えにあって、高田寄町の医師細川春庵を訪ねて行ったのだろうと想像することもできる、ということ。⑦細川春庵は謡曲「金谷詣」を作ったこと。そのことが書かれた説明の案内板が金谷山公園にあることなどがわかりました（大工町仲町5丁目となっています）。こうした知識の広がりと深さがこれからも続いていくと思います。「芭蕉ハーブのプランターづくり」は、そのきっかけを作ってくださったと思い感謝しているところです。

2022年11月

● 追記。ごく最近分かったことです

高安寺　芭蕉追善碑の謎

高安寺

芭蕉の追善碑

「翁」の文字だけが分かる

濡れタオルで拭いた芭蕉の碑

文字が見えるようになった

句碑に刻まれている「翁」以外にも、文字らしきものがあるようだったので、ずっと気にかけていました。先日、その個所を濡らしたタオルで拭いて輪郭をより明確にして、写真に撮りました。ひらがなの文字らしきものが見えてきましたが読めないので、書家の渡辺裕子様にお願いして調べていただきました。その結果、次のことが分かりました。

　文字は、「変体仮名」といわれる漢字のくずし文字で、三文字。

　上から

「者」、　読みは「は」。

「世」、　読みは「せ」。

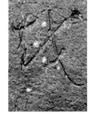

「越」、　読みは「を」。

「はせを」と読み芭蕉のことです。

　不明だった文字の謎が解明されました。芭蕉の追善碑と伝えられておりましたが、「翁」の文字だけでは確定できずにいました。石碑に「者、世、越（はせを）」と芭蕉の名前が刻まれていることが判明したので、間違いなく芭蕉の追善碑であることが証明されました。

　但し、俳句が刻まれていたであろうとおもわれる右と右上の部分が削られているようなので、そこに何という文字があったかはまだ不明です。句碑なのか、単なる記念碑なのか確定できません。謎解きはまだ続きます。

2023 年 3 月

NPO 法人頸城野郷土資料室の雁木下

横山さん宅

芭蕉の句碑　金谷山

雪下駄　旧今井染物屋

謡曲「金谷山詣」の説明　金谷山公園

芭蕉ハーブ
「薬欄にいづれの花をくさ枕」

谷　眞知子 TANI Machiko

「薬欄にいづれの花をくさ枕」

　松尾芭蕉が 1689（元禄 2）年 7 月 8 日に『おくのほそ道』の旅の途中で高田の寄大工町の医師細川春庵宅に宿泊した際に詠まれたとされる一句です。

　その時代、町医者の庭には治療に使う種々の薬草が栽培されていたのでしょうか。例えば、その芭蕉翁の時代に使われていた薬草とはどんなものだったのでしょうか、興味を惹かれます。

　幕府が江戸城内に最初の薬草園を開いたのは、1638（寛永 15）年、八代将軍松平吉宗が輸入物に代わる国産品奨励の一環として漢方薬の栽培と普及、国産の生薬作りを奨励したため、各地に薬草園が作られていったとされます。

　当時、幕府より貴重な珍しい薬草の種子や苗を賜り、自ら栽培を行っていた奈良県大宇陀の森野藤助から今に続く森野旧薬園と、当時描かれた薬草を中心とした植物図鑑を通して本草学を紹介する『薬草の博物誌　森野旧薬園と江戸の植物図鑑展』が 2016 年東京・京橋の LIXIL ギャラリーで開催された時の資料により片鱗を知ることが出来ます。

　薬草として私たちの身近にあるものとして浮かぶのは、ドクダミ、ショウガ、シソ類などですが、その他にもタンポポ、アサガオ、シャクヤク、ヒマワリ、ユリ、ハスなどといった見るも楽しい花類やキキョウ、リンドウ、オミナエシ、クズなど秋の七草にも名を連ねるものなど、調べてみるとまだまだたくさんの植物が薬草として使われていたことがわかります。

　また、所変わって西洋では、薬草、ハーブと聞けば、サイモンとガーファンクルが歌った「スカボローフェア」に出てくるパセリ、セージ、ローズマリー＆タイムなどが耳新しかったのですが、もうすっかりお馴染みになりました。香草とも言うように独特の強い香りを持つものが多く、飲み物にしたり料理のアクセントにしたりして生活に元気と彩りをもたらしているようです。

　時代を遡って 17 世紀、芭蕉翁が見た裏庭の薬欄の景色とは、はてさてどんな

だっただろうと想いを馳せながら、この夏、現代の私たちは提案者の石塚正英宅の雁木下入り口前に、バジル、セージ類、ミント類、ローズマリー、イタリアンパセリなどを寄せ植えにして置いてみました。水やりなど日々の見守りは2軒お隣の竹澤敏江さんがやってくださいました。いわれを聞きたくなる面白いネーミングとともに雁木通りに裏庭にと「芭蕉ハーブ」が広がっていったら素敵だと思いませんか。ぜひお仲間に。

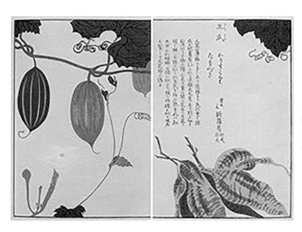

カラスウリ
出典：『本草図譜』（岩崎灌園 著 1830 年刊）国立国会図書館デジタルコレクション

ネムノキ
出典：『草木花実写真図譜』（川原慶賀 著 明治初期刊）国立国会図書館デジタルコレクション

ツキヌキソウ
出典：『新訂草木図説』（飯沼慾斎 著 1875 年刊）国立国会図書館デジタルコレクション

国立国会図書館―National%20Diet%20Library.html

〔21 世紀の上越スタイル〕
記念誌編集後記

〔21 世紀の上越スタイル〕プロジェクト　**石塚正英**

　私は、1991 年頃から、頸城野一帯において地域文化の学術調査を継続して来ました。とくに、山間部の関山神社から平野部の東頸城郡浦川原村（現上越市浦川原区）法定寺付近までに広く永く存在してきた一つの信仰文化圏をフィールド調査して来ました。

　地域の経済や文化を保存し発展させるには、それと並行して、そうした学術調査を活用して成果をあげる社会基盤を育てなくてはなりません。中央でなく地域に立ってそこから全国・全世界を眺め見極めるという大望をいだく郷土社会を育てる必要があるのです。地域文化の普及は、地域文化を担う人間関係の創出を前提とするのです。基点である地域が豊かになれば、きっと結節点である中央も豊かになるでしょうから。

　そのような基盤形成を目的の一つにして、私は、2008 年に特定非営利活動法人頸城野郷土資料室を設立しました。頸城野で学び頸城野を学ぶことにより、郷土における就労や生活において〔明日からの目的意識が明確になる〕、そのような郷土人育成を目指しました。くびき野で生まれた産物をくびき野で流通させ消費する〔地産地消〕の、いわば人間バージョンです。地域で育成し教養をつんだ人々が地域で活動し地域に奉仕し、そして地域をリードするのです。

　ところで、上記 NPO を設立した 2008 年当時の人口・世帯数統計をみますと、2005 年 1 月、隣接 13 町村と旧上越市の合併時点から、人口の面ではさほど発展していません。けれども上越市の基本方針の一つである「自主・自立のまちづくり」実現に向けた努力は成果を挙げていました。市が推進する「都市再生整備計画・高田雁木通り地区」（2006 年度〜 2010 年度）に対応する成果でもありました。

　2005 年の新上越市発足から、あと少しで 20 周年となります。私は有志と相はかり、この区切りを記念して、2021 年 12 月、一つの文化事業を企図しました。それは、〔21 世紀の上越スタイル——生活文化誌 2005-2025〕と題する記念誌の

編集・発行です。現在の『上越市史』は 2004 年のもので、まだ 13 区を前提と
したものではありませんでした。それに対して、私どもが意識する構想は 13 区
といった行政割りを横断し越境するものです。上記の記念誌はそうした〔横断・
越境〕を企図しています。

　それから、これまでこうした企画は概ね教育委員会を介して上越教育大学、
あるいはそれを飛び越えて中央の研究機関・研究者に協力を求める傾向があり
ました。その点について私どもとしては、真逆の考えを持っていまして、中心
スタッフは極力地元関係者（個人単位）で構成したく思いました。「町家雁木の
保存・活用」といったテーマを筆頭に、コア・メンバーはやはり地元関係者が
一番と考えました。記念誌の執筆・編集は、各種文化団体や NPO 組織、町内会
や地元企業の経験豊かなスタッフが適宜関わっていくものとしました。さらに、
この企画は、立案からすべて民間主導で進めてきた関係上、諸経費は関係者・
協力者の拠出でまかないました。

　さて、長年にわたって東京電機大学と頸城野郷土資料室の 2 か所で教育・文
化活動を継続している私は、頻繁に関越を横断しています。その際、スピード
を優先する場合は新幹線に乗りますが、そうでないときは池袋駅前発の高速バ
ス（西武バス・越後交通・頸城バス連携）を利用します。後者の場合、のんび
り四季の景観を楽しみ、思索にふけることができ、またなによりも運賃が前者
の半額です。新幹線によるスピードアップは、利用者・地元双方で、利益とと
もに不利益も生じます。在来線からみれば料金が高くなる。目的地で用が済め
ば日帰りする。首都圏企業の出張所が減少する。それから、在来線・ローカル
線が廃止となる。

　上越市に特化して考えましょう。交通インフラに喩えるならば、全国に張り
巡らされたインターローカルの結び目である新幹線駅（上越妙高駅）が意味を
成すには、頸城野のローカルを豊かにするもう一つの工夫が必要です。上越一
帯にめぐらすサブ・インターローカル（えちごトキめき鉄道・北越急行ほか）
の活用です。私は、前々からローカルテーマとして「道の駅」の鉄道版になる
「駅の駅」構想を提案してきました。「道の駅」の駅バージョンを開設するのです。
また、そこに行けば郵便局や信金や市役所の出先があり、買い物以外にも大概
の用は足せる。利便性が高まれば人はそこへ内外からやってくる。そうして従
来型の〔人・モノ・カネ〕から、くびき野の生活・文化をめぐる〔人と人〕イ
ニシアチブへ移行し、モノやカネは結果次第、大切なのは人の交流であり、カ

ネにならなくても人と人との出会いを楽しくする、というように発想を転換できれば、と思うのです。

　最後に、日本海側の頸城国と太平洋側の武蔵国を往還してきたものの提言を聞いてください。コロナ禍が通り過ぎたわけではないにせよ、日常の活動は維持し活性化して行かなければ干上がってしまいます。私は10年以上前から、「まれびとの活力くびき野をうるおす」というテーマで頸城野の地域研究を進めています。「まれびと」とは、よそからやって来る人のことです。上越弁で言うと「タビノショ」です。その過程で意欲が湧いてきたことがあります。「移住ガイドブック」や「移住マップ」をつくりたいのです。「謙信だ、観桜会だ、ハス祭りだ！」「上越よいとこいちどはおいで！」といった観光ガイドブックや観光地図ではありません。他所で、あるいは2つの生活拠点を維持しつつ、セカンドステージを実現したく思っている方々にお渡ししたい移住生活の手引書、タビノショ向けの上越取扱説明書（トリセツ）です。移住・居住の利点をコスパ的に、数量的に示すのでなく、カルチャー的に、感応的に示してみたいのです。ここが重要です。地元に生まれ育った人こそ、むしろ新発見が続出するでしょう。題して、「上越トリセツ—くびき野を感応しよう！」となります。

　以上、新上越市市制20周年を迎えるに際して思うところを綴ってみました。

花園コンサート／2021年5月（佐藤秀定撮影）

■ 関係者名簿（事項別・50音順）

● 原稿執筆者（氏名／所属・肩書／居住地 [区名]）

石川伊織　　　NPO 頸城野郷土資料室理事　新潟市
石塚賢一郎　　株式会社ホンダウォーク代表取締役　三和区
石塚正英　　　NPO 頸城野郷土資料室理事長　高田区
磯田一裕　　　地域住環境建築研究所代表　直江津区
井部真理　　　郷土料理研究家　高田区
今井　孝　　　タイヤのセカンドオプション代表　津有区
牛木幸一　　　JR 東日本 OB 会直江津副支部長　直江津区
梅川康輝　　　有限会社にいがた経済新聞社取締役編集長　新潟市
小川善司　　　きものの小川店主　高田区
岸波敏夫　　　NPO 街なみ Focus 理事長　高田区
国見修二　　　詩人・エッセイスト　妙高市
栗間啓志　　　新潟県石仏の会上越支部事務局　直江津区
古賀治幸　　　NPO 頸城野郷土資料室理事　東京都
小島雅之　　　つばめ歯科医院（開業医）　高田区
坂下尚之　　　あわゆき組メンバー　春日区
佐藤秀定　　　NPO 頸城野ドキュメントライブラリー理事　高田区
清水恵一　　　（一社）新潟県建設業協会上越支部長　新道区
真野純子　　　歴史民俗学研究者　春日区
真野俊和　　　NPO 頸城野郷土資料室理事　春日区
高野恒男　　　越後高田雁木ねっとわーく代表　高田区
滝沢一成　　　上越市議会議員　高田区
竹澤敏江　　　仲町 6 丁目住民・エレクトーン奏者　高田区
谷眞知子　　　NPO 頸城野郷土資料室顧問　高田区
塚越　繁　　　株式会社謙信テクノロジー代表取締役　東京都
中川幹太　　　上越市長　谷浜・桑取区
中嶋紀子　　　頸北歴史研究会事務局　三和区
長尾　章　　　栗原山明厳寺副住職　高田区
中野一敏　　　ナカノデザイン一級建築士事務所　柿崎区
橋爪法一　　　上越市議会議員　吉川区
廣田敏郎　　　高田寺町モミジの会副会長　高土区
藤野正二　　　NPO 頸城野ドキュメントライブラリー理事長　高田区
湯本泰隆　　　ながおか史遊会塾頭 NPO 頸城野郷土資料室学術研究員　長岡市

● 写真提供者（氏名／所属・肩書）

石塚正英　　　NPO 頸城野郷土資料室理事
磯田一裕　　　地域住環境建築研究所代表
藤野正二　　　株式会社フジフォート代表
小池幹夫　　　NPO 頸城野ドキュメントライブラリー理事
佐藤秀定　　　NPO 頸城野ドキュメントライブラリー理事
高野恒男　　　越後高田雁木ねっとわーく代表
松井隆夫　　　NPO 頸城野ドキュメントライブラリー会員

● 素描提供者（氏名／所属・肩書）

佐藤正清　　　NPO 頸城野郷土資料室元理事　故人

● 賛同者御芳名（70 名、50 音順）

秋山三枝子	阿部葉子	新井良一	石川伊織	石塚賢一郎
石塚隆昭	石塚正英	磯田一裕	井部真理	今井 孝
植木昌成	上野一美	上野迪音	牛木幸一	梅川康輝
梅谷 守	小川善司	小川菜々	大島 誠	川崎日香理
岸田國昭	岸波敏夫	北折佳司	国見修二	栗間啓志
古賀治幸	小池幹夫	小山幸司	小山芳元	近藤尚仁
斎京四郎	斎藤弘美	坂下尚之	佐藤和夫	佐藤忠治
佐藤秀定	鳴谷幸彦	清水恵一	霜越隼人	真野純子
真野俊和	杉本 敏	関 清	高野恒男	高野雄介
高橋浩輔	高原 重	滝沢一成	塚越 繁	富山泰源
長尾 章	中川 泉	中川幹太	中嶋紀子	中野一敏
中村真二	橋爪法一	原 理佐	平原 匡	廣田敏郎
藤野正二	米田祐介	牧田正樹	松井隆夫	宮川大樹
宮崎俊英	山田 修	湯本泰隆	吉田容子	鷲頭泰子

21世紀の上越スタイル 生活文化誌 2005-2025

2023 年 6 月 23 日　初版第 1 刷発行

編　者　〔21世紀の上越スタイル〕プロジェクト
　　　　プロジェクト代表：石塚正英
発行人　松田健二
発行所　株式会社 社会評論社
　　　　東京都文京区本郷 2-3-10　〒 113-0033
　　　　tel. 03-3814-3861 ／ fax. 03-3818-2808
　　　　http://www.shahyo.com/

装幀・組版デザイン　　中野多恵子
印刷・製本　　　　　　倉敷印刷株式会社